# FRANCE AND THE EUROPEAN ALLIANCE
## 1816-1821

*The Private Correspondence*
*between Metternich and Richelieu*

PUBLISHED FOR THE FIRST TIME AND PRESENTED BY

G. DE BERTIER DE SAUVIGNY

PROFESSOR AT THE INSTITUT CATHOLIQUE OF PARIS

UNIVERSITY OF NOTRE DAME PRESS
1958

Library of Congress
Catalog Card Number
57-14971


© 1958
UNIVERSITY OF NOTRE DAME PRESS
NOTRE DAME, INDIANA

# CONTENTS

iii

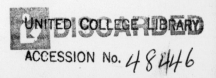

# INTRODUCTION

In modern diplomacy the exchange of personal messages between heads of states or governments is becoming an increasingly popular practice. The world press often carries such documents. It is quite obvious that when publicity is anticipated these messages must have been carefully drafted by the policy makers of the foreign offices and that the subscriber has had little to do besides giving his general agreement and penning his name. Often, also, these documents, when intended for the public, may be considered more like propaganda than diplomatic instruments.

Such was not the case in the first decades of the last century at a time that may well be considered the golden age of classical diplomacy. Correspondence between heads of governments was genuinely private and designed to remain so. Such correspondence was one of the most valuable weapons in the arsenal of diplomacy.

It would be well to dwell a moment *in abstracto*

on the character and the historical value of these documents.

The transactions between governments are normally exercised through regularly accredited diplomatic agents. Therefore, any important question would generally follow two parallel channels: first, the envoy of country A to country B is informed of the matter by a personal talk with the Minister of Foreign Affairs of B or by a written note. He then forwards the request to the Foreign Office of A with his personal comments. Second: the envoy of country B to country A will, at the same time, receive from his government instructions that direct him to broach the subject with the Minister of Foreign Affairs of A. Thus, at both ends personal contact is achieved, expressing itself by a tone of voice or the wordless language of a countenance. Put into use are the emotional as well as the intellectual powers of human nature. Why then should one feel the need to add to this dual channel a third, that of direct correspondence between ministers?

One reason for resorting to this procedure may be found in the nature of the particular transaction. It is, perhaps, so delicate, so confidential, that it is essential to keep it secret even from the personnel of the foreign offices. In this category are at least two of the transactions which will appear in the ensuing pages: the question of the measures envisioned for the moment of Louis XVIII's death and the attempt to reconcile the King with his brother.

But, more often, the impulse which inspires the chiefs of governments to bypass their ordinary agents stems from a subjective and psychological need. The writers hope by this means to give a more vivid impression of their sincerity and a more accurate picture of their intentions. They trust their powers of persuasion; they want to emphasize the importance of the matter by resorting to this unusual form. In a word, they try to reach the human being in their official counterpart by appealing to his feelings and memories as well as to his reason.

These letters thus fall outside of the genus "diplomatic dispatch" and cannot therefore be interpreted as such. But they also escape the bounds of the literary species "private letter" since they touch political matters involving the relationship of two states. We have here a category of historical documents which requires special interpretation.

Before we try to define these rules of interpretation, we must note that such direct transactions are only possible between two statesmen who have met before face to face. It is also essential that the two men consider themselves equals both officially and socially. Thus Metternich could write familiarly to such high ranking noblemen as the Duke of Richelieu or Viscount

Castlereagh; he could not do so with commoners like Canning or with parvenu gentlemen like Decazes or Dessolles even if they happened to be chiefs of governments.

How would such letters be recognized if they happen to be mixed in a lot of papers of a more official nature? Two criteria may be resorted to. *First,* the material aspect: often, a personal message will be written on a different letter-paper, smaller than that used for official documents, and it will be penned in the writer's own hand, unless he has a very good excuse such as a sore eye or a gouty hand, a fact which he will be careful to mention in the course of the letter. *Second,* the phrasing of the salutation, which, of course, varies greatly according to time and country. For the period and persons with which we are here concerned, a private letter will give the addressee the cordial *"Mon cher Prince"* or *"Mon cher Duc,"* instead of the more solemn *"Mon Prince"* or *"Monsieur le Duc."* Furthermore, the familiar character of this form of address will often be enhanced by inserting it in the course of the first sentence rather than placing it alone at the head of the message. The final words will never indulge in involved officialese such as the following: "Agréez, je vous prie, Monsieur le . . . , l'hommage des sentiments de haute considération avec lesquels je suis, de Votre Excellence, le très humble serviteur." The writer will make a point instead to find some simple and direct way of expressing his feelings. The following pages will provide many examples of this.

❋ ❋ ❋

As for the interpretation of these semi-private, semi-diplomatic documents, one should always bear in mind two principles.

First, because they are more or less confidential messages, it does not follow always that one should attach more importance to them than to normal diplomatic documents. In some cases, they are more important: when they bear upon secret matters which have been sidetracked from official channels, or when they shed special light on the character and the ideas of the writers. In other cases, they are less important, because the private letter is often but *one* element of a multipronged maneuver, the extent and meaning of which may be revealed only in other documents, such as secret letters to the ambassador.

Secondly, because they represent an exceptional procedure, documents of this kind cannot be considered independently. We discover their genuine meaning only when we place them in their wider context.

❋ ❋ ❋

This is what I have attempted to do here. By good chance, my researches in various archives have allowed me to reconstruct the dialogue of two eminent statesmen. I felt, however, that these letters, interesting as they are, would assume their real value if placed in the general framework of Franco-Austrian relations in that period, and I have therefore provided an explanatory setting, sometimes quoting at length from other documents.

On the other hand, I have avoided writing a complete account of Franco-Austrian diplomatic relations. Such a work would be badly out of balance if one chose to quote in full one sort of document while analyzing summarily the others. The complete story I hope to be able to produce some day, but I felt it would be a loss for History if these letters remained unpublished, less perhaps because of what they reveal of the diplomatic transactions than because of the light they shed upon the personality and the methods of operation of the two illustrious statesmen.

Indeed, they will not add much to the notion one may have of Metternich's character. So much has already been published of his correspondence, and so much more of it remains still unexploited in the tremendous series of the Vienna archives, that these few letters appear almost insignificant. Not so for Richelieu, whose personality is little known and appreciated outside a very narrow circle of specialists. His relatively short tenure of office, his complete disregard for personal glorification, the fact that he left no posterity, that he was never a party leader, but only a man of good will standing in the middle of conflicting and passionate factions, every factor has conspired to blot out his ideas and his achievements. He was no orator, less even an able theorist; only by what has survived of his letters can one gain a true picture of this noble soul and devoted patriot. One of the few associates who was able to gain his confidence and weigh his eminent qualities, Count Mathieu Molé, wrote in his Mémoires: "Les lettres de M. de Richelieu donnaient de lui une idée bien plus avantageuse que sa conversation . . . Je fus frappé de la netteté, de la facilité de sa rédaction, et surtout d'une sorte de noble aisance, de familiarité respectueuse, qui révélaient à la fois le sentiment de lui-même qu'avait le grand seigneur et sa religion pour la royauté." [1]

Much of what is left of Richelieu's correspondence—one might even say eighty percent of it—has already been published, but, unfortunately, in a scattered and disorderly manner. Some letters are to be found in publications of other statesmen's papers or in works based upon them, such as those of Molé,[2] de Serre,[3] Wellington,[4] Rochechouart,[5]

1. Marquis de Noailles, *Le comte Molé (1781–1855); sa vie, ses Mémoires,* 6 vols., (Paris, 1922–1930), IV, 17.

2. *Ibid.*

3. *Correspondance du comte de Serre (1796–1824) annotée et publiée par son fils* (Paris, 1876–1882), 7 vols.

4. *Supplementary Despatches, Correspondence and Memoranda of Field Marshal Arthur, Duke of Wellington, edited by his son, the Duke of Wellington* (London, 1858–1865), 15 vols.

5. Général comte de Rochechouart, *Souvenirs sur la Révolution, l'Empire et la Restauration* (Paris, 1933).

Vérac.[6] Some have been quoted at length in the two main biographies of Richelieu, by Crousaz-Crétet[7] and Cisternes.[8] It may be stressed that the existing documentary publications, those of Polovtsof[9] and Charléty,[10] covered only two of the main directions of Richelieu's diplomatic activity, namely his relations with the Russian and the British governments. To these the letters which we publish here for the first time may add a valuable dimension, showing another aspect of the struggle waged by the French statesman to raise his country from the depths of defeat, to restore its independence, and bring it back to the rank of a great power.

The letters which form the bulk of this publication, as well as most of the other documents quoted, come from three main archival collections.

1. The archives of the French Foreign Office, kept in the Quay d'Orsay (abr.: *A.E.*), mainly *Correspondance politique, Autriche.*

6. Comte A. de Rougé, *Le marquis de Vérac et ses amis 1768–1858* (Paris, 1890).

7. L. de Crousaz-Crétet, *Le duc de Richelieu en Russie et en France, 1766–1828* (Paris, 1897).

8. R. de Cisternes, *Le duc de Richelieu; son action aux conférences d'Aix-la-Chapelle; sa retraite du pouvoir, 1818–1824* (Paris, 1898).

9. *Le duc Armand-Emmanuel de Richelieu. Documents et pages édités sous la direction de Polovtsof* (St. Petersburg, 1886). *Correspondance diplomatique des ambassadeurs et ministres de Russie en France et de France en Russie avec leurs gouvernements, de 1814 à 1830, publiée par Polovtsof* (St. Petersburg, 1901–1907), 3 vols.

10. *Lettres du duc de Richelieu au marquis d'Osmond (1816–1818) publiées par Sébastien Charléty* (Paris, 1939).

2. The archives of the State Chancery of Austria, *Haus-Hof-und-Staats Archiv* (abr.: *H.H.S.A.*), mainly the series *Frankreich Weisungen,* and *Frankreich Varia.*

3. The personal papers of Richelieu, which had been intrusted by him to his friend Lainé and have been finally deposited in the library Victor Cousin, in the Paris Sorbonne (abr.: *Fds. Rich.*).

\* \* \*

I should not forget to mention that I am indebted to the *Centre National de la Recherche scientifique* through the help of which I was able to spend much time in the Vienna archives. For this special publication I am indebted to the understanding of friends at the University of Notre Dame who wished to have their University Press publish some work of mine as a memorial of the lectures I gave there during the fall semester of 1956 as visiting professor, and at the same time to add a contribution to the history of nineteenth-century Europe. For this generous idea, and speaking in the name of all the historians interested in this period, I wish to express my deepest gratitude. And finally, to Dr. L. Leon Bernard of the University of Notre Dame my sincere thanks for English stylistic improvements.

GUILLAUME DE BERTIER DE SAUVIGNY, C.J.M.
PROFESSOR AT THE INSTITUT CATHOLIQUE OF PARIS

PART I

# THE DIPLOMACY OF DEFEAT
RICHELIEU'S FIRST ADMINISTRATION
September 1815–December 1818

# I. The Situation in the First Months of Richelieu's Tenure

By the end of 1815 France, who had extended her proud domination over the greater part of Europe, was groping her way through the dark days of reckoning. Twice defeated by the armies of the great European coalition, she had been shorn of all the territorial conquests of the Revolutionary and Napoleonic eras. The treaties signed in Paris on November 20, 1815, provided for the payment of a war indemnity of 700 million francs and the settlement of all the private financial claims of citizens of the Allied nations. Furthermore, 150,000 Allied troops were to occupy the northern and eastern provinces for a duration of three to five years, and the cost of their maintenance, 150 million francs a year, was to be charged to France. The four great Allied Powers—Austria, Great Britain, Prussia and Russia—had renewed their military alliance against France. Their representatives in Paris were to constitute a kind of commission of control, holding regular meetings and supervising all the actions of the French government which could have some bearing on the execution of the treaties. As for the internal political situation, it was poisoned by the rancors of the royalists, who were eager to wreak vengeance upon those who had brought back Napoleon in March, 1815, and the fears of all the people who had had some part in the revolutionary and imperial regimes. The royal family itself was divided by the rift between the King, who inclined towards moderation and forgiveness, and his brother and heir, Monsieur, who favored the extremist ultra-royalist party.

The man to whom befell the difficult and nearly desperate task of steering his country out of this turmoil was practically unknown a few months before. Armand-Emmanuel du Plessis, Duke of Richelieu, aged forty-eight, was a descendant of a brother of the illustrious cardinal-minister of Louis XIII. He had emigrated in October, 1789, and had been given a commission in the Russian army. His valor and fine character earned him the friendship of Grand-Duke Alexander, and when the latter became czar of all the Russias he gave him the governorship of the vast southern territories recently conquered from the Turks. By his able and devoted leadership, Richelieu made this land a prosperous province of the Empire, with its fine new capital and port of Odessa. When Louis XVIII returned to France, the Duke went to Paris to pay his respects to the King but refused stubbornly the portfolio of the Royal Household offered to him by Talleyrand. His only wish, at that time (August, 1815), was to go back to his beloved Odessa. The following lines from his letter of refusal show his noble humility:

JE SUIS ABSENT DE France depuis vingt quatre ans. Je n'y ai fait durant ce long espace que deux apparitions très courtes, je suis étranger aux hommes comme aux choses. J'ignore la manière dont les affaires se traitent, tout ce qui tient à l'administration m'est inconnu. . . Personne n'est moins propre que moi à occuper une place dans le ministère, nulle part et surtout ici. Je sais, mon Prince, mieux que personne ce que je vaux, et ce à quoi je suis propre; il m'est tellement démontré que je ne le suis pas du tout à ce qu'on me propose, que je suis convaincu que si j'acceptais cette place je n'y tiendrais pas six semaines.[1]

Why then did the French Monarch choose this man to succeed Talleyrand at the end of September, 1815? By that time the peace negotiations had taken an ominous turn for France, and the newly elected *Chambre introuvable* was brewing trouble for a ministry composed in greater part of former servants of Napoleon. The idea of the King in asking Richelieu to head a new government was to placate the royalists by choosing a man whose past was pure and by the same stroke to win the all im-

1. In Polovtsof, *Le duc . . . de Richelieu, Documents,* p. 446.

portant support of Czar Alexander. This result was indeed achieved, and Richelieu was able to gain some advantages in the peace treaty where all the cunning of Talleyrand had failed.

But the affectionate confidence of the Czar was hardly an advantage for Richelieu when it came to relations with the head of Austrian diplomacy, Metternich. Indeed, during the first years after the defeat of Napoleon the distrust of Russia's policy was the pivot of Metternich's diplomacy, and he feared that France, led by Richelieu, would become an instrument of Russia. His envoy in Paris, Baron Vincent, depicted in letter after letter the sorry state of affairs in France itself, deploring the weakness of Richelieu before the reactionary Chamber and the lack of unity in the ministry.

Metternich's feelings towards Richelieu seem to have undergone a change for the better after the arrival in Vienna of the French ambassador, the Marquis de Caraman. This man, though not exceptionally gifted in mind, was a close and loyal friend of Richelieu and at the same time, during his exile, had enjoyed a personal relationship with Metternich. Therefore, when he arrived in Vienna on July the 8th, he was received as an old friend by the Austrian minister and very soon enjoyed as full measure of confidence as was possible in those circumstances. By the end of August Metternich was looking upon Richelieu with a far more favorable eye, as we may see from the following excerpt of a letter to his Paris representative.

Nous avons eu plus d'une occasion d'entrevoir . . .
que les anciens rapports personnels de M. le duc de
Richelieu avec la Cour de Russia n'étaient pas sans influence sur les déterminations de son ministère; mais la
loyauté de son caractère, ainsi que l'indépendance et
l'élévation de ses sentiments lui donnent, comparativement
à tout autre, des avantages si positifs dans le maniement
des affaires d'intérêt général, que les inconvénients de ce
reste de propension russe sont grandement rachetés par
ses qualités essentielles, heureusement appropriées à la
situation relative de la France et de l'Europe. Il en résulte,
à la vérité, la nécessité de nuancer nos communications et
d'aligner notre conduite sur le *personnel* de ce principal
ministre, et souvent nous en éprouvons de la gêne dans nos
relations, soit avec la cour des Tuileries et avec son
Ambassadeur, soit dans les affaires qui se lient à l'action
du gouvernement français; mais les voeux de toute personne qui n'ignore pas combien la moindre secousse en
France serait funeste à la régularité des autres rapports
politiques de l'Europe, doivent néanmoins se porter en
faveur de l'administration du duc de Richelieu.[2]

By that time, also, Richelieu had realized that it
would do no good to France to appear as a Russian satellite because this would only earn the distrust of the two other great Powers, Austria and
Great Britain; the fourth, Prussia, being in any
case hostile. Any favor, any alleviation of the peace
conditions should be sought through agreement
of all four Allies, and to lean exclusively on one of
them would doom to failure any attempt in this
direction. According to this policy, Richelieu had

2. Metternich to Vincent, August 16, 1816. *H.H.S.A.,*
*Gesandschaft Arch.,* 55.

to approach Metternich as well as the Russian and British governments whenever he wished to obtain some advantage. After all, France, weakened as it was, would sooner or later rise again to the rank of great power to which her resources entitled her. Therefore, each of her former enemies would now try to appear in the role of the "true friend" to whom France should be grateful for the reductions of her present burden, and, consequently, it was to France's interest to approach each of the Allies with seeming trust to obtain what she wished.

## II. The First Reduction
## of the Occupation Forces

The first alleviation that Richelieu tried to gain was a reduction in the number of the occupation forces. This, he argued, would not only relieve France financially and allow her to meet her other financial obligations but would also strengthen the regime and the ministry in the eyes of the nation. Caraman, in his first conversations with Metternich, broached the subject, and a few days later the Austrian statesman told him that his envoy in Paris, Baron Vincent, was authorized to give his consent to the withdrawal of some five or six thousand men of the Austrian occupation corps when the matter would arise in the Allied Commission.[3] But the four Allied representatives in Paris seemed loath to discuss the matter, and Lord Wellington, chief of all the occupation forces, was not to be moved. Metternich was only too happy to contrast his liberal attitude with that of Great Britain. "Too

3. Caraman to Richelieu, July 10, 1816, *A.E., Cor. Pol., Autriche,* 397.

bad," said he in substance, "that our kind intentions should be frustrated by the stubbornness of the Iron Duke, but who are we to contradict his Lordship?" [4] In fact, it seems that all four Allies were dragging their feet, because they wished to ascertain whether the new Chamber elected after the dissolution of the former assembly would be more tractable. This was, at least, what Wellington stated bluntly to Richelieu in answer to his repeated requests,[5] so Richelieu was obliged to give up the hope he had nurtured of opening the parliamentary session with a piece of good news.[6]

Nevertheless, as Metternich never wavered in his expressions of good will, Richelieu asked Caraman to press him to send a formal instruction to Vincent that the matter of the reduction be considered by the Conference of Ambassadors in Paris. Metternich was thus challenged to prove his sincerity. He decided to take a course that would leave no doubt in the mind of the French Premier. Having drafted the required instructions, he sent them to Richelieu himself, who was asked to transmit them to Vincent after having read them. To emphasize this evidence of good will, he annexed the following personal message for Richelieu: [7]

JE VOUS ENVOYE, ci-inclus, une dépêche que j'adresse *sub volanti* à M. de Vincent, et que je vous prie, Monsieur le Duc, de bien vouloir lire et remettre ensuite à notre

4. Caraman to Richelieu, Sept. 10, 1816, *ibid.*

5. Wellington to Richelieu, October 10 and 19, in *Supplementary Despatches*, XI, 506, 520.

6. Richelieu to Just de Noailles, ambassador in St. Petersburg, October 15, 1816, *Fds. Rich.*

7. Metternich to Richelieu, November 11, 1816, *Fds. Rich.*

Ministre. Je me flatte que vous en approuverez le contenu. Il me parait que l'importante question sur laquelle j'envoie des directives à M. de Vincent est de la nature de beaucoup d'affaires sur le fond desquelles tout le monde est d'accord et qui ne se fait pas parce que personne n'a dit bien clairement de quoi il s'agit. Si ma dépêche parvient à réunir les vues de la Conférence des Ministres des quatre Cours, je me féliciterai d'avoir pu contribuer à rendre au Roi un service qui me parait porter sur un objet infiniment important pour lui et par conséquent pour nous tous. M. de Caraman vous rendra sans doute compte de la conversation que nous avons eue sur l'objet de ma dépêche au général Vincent; il m'a paru essentiel de lui parler de ma conviction que le Roi doit de toute manière ne pas séparer, dans la discussion sur la diminution de l'armée d'occupation, son intérêt de celui de la nation; il ne pourra jamais les confondre trop et il atteindra ce but en précisant sa conviction qu'il ne s'agit pas aujourd'hui de telle ou telle discussion sur des détails d'administration, mais bien de la certitude que vise à acquérir l'Europe que la marche entière du gouvernement français, y compris celle de la législature, devra être de nature à asseoir un espoir fondé du repos. De cette manière, et en suivant cette ligne, le Roi se placera hors du reproche que les factieux ne viseront que trop à exciter, que le Roi se seroit placé en un accord particulier avec les Alliés pour arriver à *ses* fins. Pardon, Monsieur le Duc, si je vous dis ici ce que vous sentirez et exécuterez mieux que moi; mais je me ferais conscience de ne pas vous dire tout ce que je peux sur une question qui est d'un intérêt aussi grand.

Je vous rends également attentif à un fait qui sans doute n'est pas ignoré de vous, mais qui me parait une mesure concertée entre les *ultrà* de toutes les sectes. J'envoie par le courrier militaire à M. Decazes [8] des preuves que les Ultra Royalistes, et les jacobins, et les Bonapartistes ne

8. I have published elsewhere this correspondence between Metternich and Decazes, which at the time was chiefly con-

s'occupent que de la possibilité de démontrer que les
élections de la nouvelle Chambre se sont faites irrégulière-
ment.

Veuillez, mon cher Duc, me conserver votre ancienne
amitié et croire à toute celle que je vous porte.

Vienne, le 11 novembre 1816.—METTERNICH.

The matter was not to be settled so easily. It took
strong intervention by Czar Alexander and a new
assault by Metternich on the British government
to bring finally the Duke of Wellington to consent
to the proposed reduction of the forces under his
command by thirty thousand men.[9] A month still
elapsed before the decision was formally handed
to Richelieu by the Allied ambassadors,[10] and the
next day it was solemnly announced in the Chambers where it was greeted with enthusiastic
cheers.[11]

By his attitude in this difficult negotiation, Metternich undoubtedly gained a march upon his allies and rivals by proving to the French government that his words of friendship were to be
trusted.

---

cerned with political police matters. G. de Bertier de Sauvigny,
"Metternich et Decazes, d'après leur correspondance inédite
(1816–1820)." *Etudes d'Histoire Moderne et Contemporaine,*
V (1953), 60–115.

9. Memorandum to Sir Charles Stuart, January 9, 1817. In
*Supplementary Despatches,* XI, 589–594.

10. Note sent to Richelieu, February 10, 1817. In Polovtsof,
*Correspondance diplomatique des ambassadeurs et ministres de
Russie en France* . . . II, 34–35.

11. Crousaz-Crétet, *Le duc de Richelieu,* p. 238.

# III. A King and a Pope May Die

The opportunity to put to work this new gained confidence was to come soon. By the end of the winter of 1817, rumors were spreading about the failing health of old King Louis. In the present state of affairs in France, his death, thought the Allies, would be a catastrophe. His legitimate heir, Monsieur, had openly expressed his disagreement with the policy followed by the government, and it was feared that he would try to abolish the Constitutional Charter and reinstate the absolute monarchy of the ancient regime. This would inevitably bring upheavals and perhaps a new revolution or an attempt to restore Napoleon's dynasty. In any case, the settlements of 1815 would be jeopardized and the Allies might have to fight a new war. Metternich was deeply concerned with these eventualities, and he expressed his views to Caraman. Here are his own words as reported by the ambassador in a very secret message brought to Richelieu by Caraman's own son: [12]

12. Caraman to Richelieu, March 6, 1817, *Fds. Rich.*

POURQUOI LE DUC DE RICHELIEU ne prend-il pas quelques précautions contre les dangers qui menacent votre pays, car enfin, si ce malheur arrivait il n'y a aucun doute que les puissances interviendraient pour assurer un ordre de choses qui est la garantie de leur tranquillité. Je ne vous cache pas, me dit-il, que mon opinion est décidément arrêtée sur la question de savoir si on a le droit ou si l'on n'a pas le droit de se mêler d'une affaire intérieure chez une nation voisine . . . mais dans le cas actuel, lorsque des désordres que l'on aurait dû arrêter dans le principe ont été au moment de renverser l'ordre social, lorsque l'on n'est parvenu à rasseoir la société ébranlée que par des sacrifices incalculables, certes on a acquis le droit de prévenir le retour des maux que l'on est parvenu à écarter, et tant que l'on est en attitude de surveillance, il est du devoir de tous ceux qui dirigent les affaires de s'opposer à tout mouvement qui puisse remettre en question ce qui a tant coûté à décider. Or il n'y a aucun doute que si vous aviez le malheur de perdre le Roi et que Monsieur voulut gouverner avec les principes que professent les exagérés, il y aurait nécessairement changement de ministère, changement de direction dans la marche du gouvernement et probablement en très peu de temps il se développeroit un système d'opposition, peut-être de résistance, et Dieu sait les maux qui pourraient résulter d'une nouvelle lutte, mais ce qui est certain, c'est que nous ne pouvons pas l'envisager avec indifférence et très certainement nous prendrons des mesures pour nous assurer que l'on ne se livrera pas aux désordres d'un changement de système, et nous ferons tout pour repousser toute innovation.

Monsieur pourra le trouver mauvais, mais dans son intérêt comme dans celui de la nation et dans le nôtre même, nous devrons prendre nos précautions. . .

Je vous prie de demander au duc de Richelieu que par l'amitié que je lui porte et par l'intérêt que je prends à vos affaires je voudrais qu'il s'entendit d'avance avec moi pour préparer ce qui serait convenable de faire dans le cas où cet évènement viendrait à avoir lieu. Une fois que nous aurions résolu ce qui serait utile, il n'aurait plus qu'à m'instruire avec la plus grande célérité et je prendrai sur-le-champ toutes les mesures nécessaires pour assurer le repos de la France et le nôtre. Il n'y a pas à tergiverser, il faut nécessairement agir et agir fortement pour écarter toute hésitation et forcer Monsieur à ne chercher et à ne voir son salut que dans la continuation et le maintien du système avec lequel votre gouvernement marche avec nous. Notre pensée ne peut pas être de vous dicter des lois, mais nous avons reconnu que la garantie de notre sécurité est dans la Charte et nous pouvons demander, exiger même qu'on ne l'altère en rien et que l'on continue de marcher avec elle et par elle. . .

Metternich's plan, said Caraman, was to try to work out with the three other Allies a declaration stating that the Powers would remain friendly as long as the Constitutional Charter was respected, but if it were not they would take all suitable measures to protect themselves from the dangers that might arise from a change in the constitutional basis of the government. This should act as a brake on Monsieur's designs and as a warning to all trouble-makers in France. Metternich seemed ready to take this step with or without the consent of the French government but wished to know Richelieu's reaction before proceeding.

To this overture, Richelieu answered with a personal letter to Metternich in which he unfolded his own views on the best way to manage this very delicate matter. Unfortunately, we did not retrieve this important document, and we only know by a further report from Caraman [13] the result of this consultation. Metternich, he says, broached the subject with the Emperor and presented to him Richelieu's plan as if it came from himself. The Emperor approved it and entrusted to him the care of following it with all due precautions to avoid the appearances of encroaching upon France's independence. Metternich was well aware of two opposite dangers: on one hand he feared that the Russians would espouse too warmly this idea and want to go too far; on the other hand he expected a strong reluctance from the British government to take a step that would appear contrary to its principles. Therefore, he proposed to work out first of all a plan with Castlereagh and only then to present it to Russia. This plan, said Caraman, was exactly that which Richelieu had indicated.

The matter was so delicate that Metternich seems to have been reluctant to write about it himself lest a letter from him on this subject would fall in other hands. By letting Caraman relay his words, he could still deny the accuracy of the report.

He did not feel the same qualms, though, when it came to talk about the death and succession of another important figure, Pope Pius VII. While

13. Caraman to Richelieu, April 17, 1817, *Fds. Rich.*

leaving to Caraman the Louis XVIII question, he
wrote himself to Richelieu by the same mail: [14]

M. DE CARAMAN VOUS PARLERA aujourd'hui d'un
objet, mon cher Duc, que je crois digne de votre plus
sérieuse attention. Votre ambassadeur à Rome vous aura
sans doute informé de l'état de santé du Saint Père. Ce
qu'on me mande ne me laisse guère l'espoir de le voir
passer le printemps. Sa perte sera immense si son successeur
a une couleur autre que celle du bon sens, du calme, de
la fermeté. Si le Ciel nous réserve un Pape ultra dans un
sens quelconque il peut nous ménager des difficultés
quasi insurmontables. Or Caraman, dans le bon esprit
duquel j'ai toute confiance, vous rendra compte de mon
dernier entretien avec lui. Il vous dira que j'ai la conviction
combien il est nécessaire que nous nous réunissions
d'intentions et de fait pour empêcher que l'élection du
Pape ne devienne un jeu pour les factions. S'il n'y a
point eu d'intérêt autrichien, russe, anglais, sur le tapis
quand il s'est agi de renverser Bonaparte, il ne doit pas y
avoir de rivalité bourbonnique ou autrichienne dans la
prochaine élection. Il faut que nous cherchions l'homme
qu'il faut *au monde* et pas l'homme de telle ou telle
puissance. Je crains—je vous l'avoue franchement—le
tripotage et l'influence de l'Espagne. Un pape qui visera
à s'appuyer de l'exemple de Ferdinand VII pour gouverner
l'Eglise et son pays peut bouleverser l'Europe. Il suffira
qu'il soit ferme dans le principe que le passé n'est point
passé parce qu'il ne devait jamais avoir existé, qui atta-
quera le principe de la vente des biens nationaux, qui
louera la résistance de nos évêques et le purisme de Mgr
de Gand,[15] qui croira devoir chasser les laïcs de leurs

14. Metternich to Richelieu, April 17, 1817, *ibid.*
15. Maurice de Broglie (1766–1821) had been named
Bishop of Ghent by Napoleon, but having opposed him strongly
in 1809, was imprisoned until he had consented to resign. Re-

employs dans l'Etat pontifical pour les remplacer par des Monsignori, un pape enfin qui servira d'exemple et de ralliement aux ultra de tous les pays peut préparer et allumer un incendie incalculable dans ses effets et dans ses suites. Je chargerai, au tout premier jour Vincent d'aller vous parler. Je vous demande une confiance entière et je vous la promets de mon côté.

Les détails que vous m'avez donnés de la santé du Roi ont grandement rassuré l'Empereur. Ce n'est pas dans des moments comme le présent que le monde a besoin de complications comme le serait celle de la perte d'un souverain de la trempe de Louis 18.

Caraman répond à un autre article de votre lettre à lui.

Je n'ai pas besoin, mon cher Duc, de vous demander si vous êtes d'accord avec ce que je propose aujourd'hui. Je réponds *oui* d'avance. Mais il s'agit de s'entendre et cela aura lieu.

Recevez les assurances de ma haute considération et de mon bien sincère attachement.

Vienne, le 17 avril 1817.—METTERNICH.

Again, we do not have Richelieu's answer to this letter, but the general content may be guessed by the words of Metternich's next message quoted hereafter. The French minister agreed upon the

---

instated to his see after the fall of the Empire, he clashed with his new sovereign, the King of the Netherlands. The Catholics, he proclaimed, could not take an oath of allegiance to a Protestant sovereign and a constitution that recognized as equal all Christian denominations. They could not allow the government to control the schools. The conflict became, in 1817, so bitter that the Netherlands government brought the bishop before a high court and had him exiled to France.—See J. Lenfant, "Maurice de Broglie, évêque de Gand," *Revue d'Histoire de l'Eglise de France,* XVII (1931), 312–347.

idea of a Franco-Austrian coalition to insure the election of a Pope who would not favor the *zelanti*. As he knew also by Caraman [16] of Metternich's plan to go to Italy in the summer, he talked about the negotiations that were going on between the Holy See and the French government for a new concordat which would replace that of 1801.[17]

Metternich's pleasure was obvious in his next letter:

Vienne, le 28 mai 1817.

M. DE CARAMAN M'A REMIS, mon cher Duc, votre lettre du 13 mai. Il m'avait montré antérieurement celle que vous lui aviez adressée préalablement et j'ai été charmé de ces deux communications parce qu'elles me prouvent que les relations entre nos deux cours sont telles que vous et moi devons le désirer sous tous les rapports possibles. Il reste trop de grands intérêts à sauver en Europe pour que les cabinets ne doivent leur subordonner toutes les petites considérations, et il est sans doute des temps où de petites gens peuvent causer de grands maux. Le choix du futur chef de l'Eglise est une affaire majeure; son influence juste et modérée ne doit point être contrariée parce qu'elle n'aura jamais été plus salutaire, abstraction faite même de toute idée strictement religieuse; l'abus du pouvoir papal, l'influence à laquelle pourrait viser un souverain Pontife à des idées étroites, peu habile, éloigné de l'esprit du siècle et *ultra* dans la force du terme peut entretenir un esprit de fermentation dont les écarts ne

16. Letter of April 1817. *Fds. Rich.*

17. On this question, see P. Feret, *La France et le Saint-Siège, sous le Premier Empire, la Restauration et la Monarchie de Juillet* (Paris, 1911), Vol. II; and Philippe Sagnac, "Le Concordat de 1817," in *Revue d'Histoire Moderne,* VII (1905–1906), 189–210, 288.

sauraient se calculer! Je l'ai dit souvent à M. de Caraman:
le pape de Louis XVIII sera le nôtre; celui de Ferdinand
VII ou de votre minorité dans la Chambre ne saurait
l'être.

Je m'entretiendrai avec grand plaisir avec M. de
Blacas.[18] Nous chercherons l'homme tel qu'il le faut.
L'influence de nos deux cours dans le Conclave ne saurait
être douteuse; nos cardinaux, munis d'instructions con-
cordantes, munis d'un même *veto,* dirigeant leurs soins
vers un même individu remporteront le triomphe. C'est
du choix de cet individu que dépendra beaucoup, mais
il est difficile. Mes relations directes et anciennes avec le
Pape actuel, la connaissance intime que j'ai du caractère
du cardinal Consalvi,[19] celle que j'ai de même de
plusieurs personnes aptes à juger les candidats à l'élection
future, me mettront à même de rassembler sur les lieux
les notions les plus exactes et les plus sûres pour que la
confiance que vous voulez bien placer en moi ne soit point
trompée. C'est de Rome même que j'aurai l'honneur de
vous écrire; l'amélioration dans l'état du Saint-Père nous
fera gagner le temps nécessaire et vous ne conterez (*sic*)
jamais trop sur mon zèle à servir une cause que je regarde
comme commune.

Je m'estimerai heureux si je puis influer d'une manière
quelconque sur l'arrangement de vos affaires ecclésiastiques. Le principe que vous mettez en avant: que cet
arrangement doit pouvoir soutenir la critique des Chambres, est incontestablement vrai; c'est de sa défense que
je me charge et je voudrais pouvoir répondre de même du
succès. Je vais moi-même à Rome avec un portefeuille

18. Pierre-Jean-Casimir, Count, and later, Duke de Blacas
d'Aulps, former favorite of Louis XVIII and minister of the
Royal Household during the first Restoration, was at that time
ambassador in Rome.

19. Ercole Consalvi (1757–1824), Secretary of State of Pope
Pius VII.

rempli de mauvaises querelles; [20] nos églises au-delà des Alpes vont aux pasteurs; la Cour de Rome croit pouvoir conserver un terrain que les révolutions et l'impossibilité de faire rétrograder l'esprit public lui ont fait perdre irrévocablement; il lui en coûte de renoncer à des droits reconnus ou tolérés que le temps a usés; il faut des modifications et un Prince de la trempe de Pie VII et son ministre actuel finiront par comprendre que le moyen de sauver tout ce qui est essentiel se trouve souvent dans les sacrifices de quelques formes.

Recevez, mon cher Duc, l'assurance de toute mon amitié et de ma haute considération.—METTERNICH.[21]

20. What those matters were, one might see by referring to the great publication *Mémoires, documents et écrits divers laissés par le Prince de Metternich*, III, 98.

21. Metternich to Richelieu, May 28, 1817, *Fds. Rich.*

## IV. The Settlement of Allied Financial Claims

Metternich left Vienna for his grand Italian tour on the 5th of June, and a few days later Caraman set off for Paris. Before his departure, he had initiated with the Austrian government the business which was to constitute during the following year the main topic of the personal exchanges between Richelieu and Metternich. By the treaty of November 20, 1815, France had promised to honor all debts incurred by former governments with private creditors in the Allied countries. At the time when this agreement had been signed it had been estimated that it would entail a maximum of 200 million francs, but when the special commission formed in Paris for this purpose began its work, claims poured in from every part of Europe and soon the debts passed the billion mark. How could France, with all her financial resources already strained to the utmost, ever manage to cover this enormous obligation without risking a complete collapse?

When this question was first brought up by
Caraman, in the end of March, 1817, Metternich
had simply assured the ambassador that he was
ready to help Richelieu work out a solution which
would take into account France's financial condi-
tion.[22] Nevertheless, he was not prepared to inter-
vene at this stage, and before leaving for Italy he
advised that the French commissioners fight out
the issue in Paris with their Allied counterparts
until a deadlock was reached. Then, the question
could be raised to the political level and submitted
to the heads of States. At this stage, he, Metternich,
and his Sovereign would throw their weight in
favor of France.[23]

These circumstances explain the lengthy de-
velopment that will be found in the following letter of Richelieu. The other new matter which is
here brought up is the result of a long and difficult
conflict which had arisen between Austria and
Spain as a consequence of the territorial settlements of 1815. The bone of contention was the
duchy of Parma which had been given to the
former Empress Marie-Louise, daughter of the Emperor Francis of Austria. This territory had been
a possession of the Spanish crown until Napoleon
had joined it to his Italian Kingdom in 1808. Therefore, Ferdinand VII, restored to his kingdom of
Spain, insisted that Parma should go back to its
"legitimate" sovereign, his sister, who, by a strange

22. Caraman to Richelieu, April 2, 1817, *Fds. Rich.*
23. Caraman to Richelieu, *A.E., Cor. Pol., Autriche,* 398.

coincidence, was also called Maria-Luisa. Until
his demand was received he refused to accede to
the acts of the Vienna Congress. A long diplomatic
guerrilla ensued, in which the good offices of the
French government helped to bring a compromise,
the treaty of June 10, 1817.

We can now read this letter of Richelieu, the
first we have in this correspondence, and the only
one we have not found in his own hand. It is taken
from a copy of the original made by a secretary
in the Foreign Office: [24]

Paris, le 1er juillet 1817.

J'ESPÈRE, MON CHER PRINCE, que cette lettre vous
trouvera encore à Rome où je l'envoye par un courrier que
j'expédie à M. de Blacas. Je lui écris de s'entendre avec
vous pour le choix du Pape futur, que la santé de celui-ci
peut rendre plus prochain que nous le croyions. Ainsi
que j'ai déjà eu l'honneur de vous le mander, je partage
entièrement votre opinion sur l'importance de ce choix.
Si nous parvenons à faire occuper la chaire de Saint-Pierre
par un Pontife modéré, sage, et qui voie les choses non
comme il serait peut-être désirable qu'elles fussent, mais
comme elles sont réellement, l'influence qu'il doit juste-
ment exercer sur les esprits tournera au profit du repos
et de la tranquillité de l'Europe. Le contraire arriverait,
et avec des conséquences bien funestes, si le nouveau Pape
était un homme ardent qui voulut ramener des temps et
des idées évanouies pour toujours. C'est donc plus au
caractère personnel qu'à la domination sous laquelle est
né le Cardinal qu'on voudrait porter au trône qu'il faut
avoir égard dans le choix qu'on se propose, et je ne

24. A.E., *Cor. Pol., Autriche,* Suppl. 30.

doute pas que M. de Blacas n'entre parfaitement dans vos vues qui sont exactement les nôtres.

Vous aurez appris que nos affaires ecclésiastiques sont terminées et d'une manière plus satisfaisante que nous n'avions osé l'espérer.[25] J'espère que la vie du Pape se prolongera assez pour recevoir les ratifications que j'envoie et nous donner les bulles nécessaires pour en finir entièrement. C'est une grande affaire et qui nous a donné tant d'embarras qu'il y aurait vraiment du guignon à nous voir rejeter, par la mort du Pape, dans les incertitudes dont nous avons eu tant de peine à sortir.

J'ai interrompu cette lettre pour recevoir le Baron de Vincent qui m'a apporté de vos nouvelles de Florence. L'article qui précède répond à celui que vous avez eu la bonté de me faire communiquer. Il fallait coûte qui (*sic*) coûte sortir d'affaire et l'on exigeait de nous des choses si étranges, on voulait nous placer (sans mauvaise intention, je l'espère) dans une position si fausse, vis-à-vis de nos Chambres et de la nation qu'il devenait nécessaire d'exprimer avec force nos intentions. C'est ce qui est arrivé et avec succès, puisque nous avons obtenu à peu près tout ce qu'il nous fallait pour justifier cette Convention et lui obtenir l'approbation de tous les hommes sages et raisonnables.[26]

M. de Vincent vous informe, par mon courrier, des nouvelles inattendues que nous avons reçues d'Espagne. Il se trouve que les mécontents sont ceux qui gagnent au marché et que nous autres qui croyons avoir fait quelque chose d'utile et d'agréable à l'Espagne, nous éprouvons des reproches de sa part. Celà est triste et affligeant, sur-

25. The new Concordat had been signed by Consalvi and Blacas on June 11, 1817.
26. As it turned out, these hopes were to be frustrated by unexpected opposition from both right and left in the Chambers, and this Concordat of 1817 had eventually to be shelved.

tout à cause de l'esprit d'imprévoyance et d'erreur que
cette conduite fait voir. Je suis trop sûr, au reste, et de
vos principes et de votre esprit de conciliation pour croire
un instant que vous veuillez vous prévaloir de cette diffi-
culté pour en faire de votre côté à la conclusion d'un acte
qui fait tant d'honneur à la magnanimité de l'Empereur.
Je crois pouvoir vous assurer que l'Espagne ratifiera et
que tout le résultat de ceci sera la mauvaise grâce qu'elle
aura mise. Nous ne pouvions trop nous louer du Cte de
Fernan-Nunez,[27] dont le caractère est on ne peut plus con-
ciliant, mais le pauvre homme ne s'attendait guère à être
rabroué de cette manière après avoir rendu à sa Cour un
service sur lequel il comptait être remercié et qui ne lui
vaut au contraire que des réprimandes.

Je ne devrais pas, mon cher Prince, vous parler aujourd'hui de nos tristes affaires de liquidations, mais
comme j'y pense sans cesse, il m'est impossible de ne pas
vous en dire deux mots. C'est maintenant le point capital,
le problème le plus important, comme le plus difficile à
résoudre. La profondeur de ce gouffre n'a pu être mesurée
ni par vous ni par nous. Toutes les données nous man-
quaient pour cela du moment où nous avons signé la
convention du 20 novembre. Maintenant, il m'est démontré
que si nous ne parvenons pas à modifier en quelque
manière cette convention, nous nous précipiterons dans le
gouffre et nous y entraînerons une partie de l'Europe avec
nous.

Ce n'est pas le ministre du roi de France qui parle à
celui de l'Empereur, ce sont deux Européens honnêtes et
bien intentionnés qui s'entretiennent ensemble sur les
moyens d'empêcher cette pauvre Europe de retourner
dans le chaos dont elle ne fait que de sortir par miracle.
Or, croyez-vous, mon cher Prince, que sans s'exposer à

27. The Count, and later Duke, of Fernan-Nuñez, was
ambassador of the Spanish king first to London, in 1815, and
then to Paris, in 1817.

une convulsion politique en France on puisse lui demander, outre tout ce qu'elle a à payer d'ailleurs, 8 ou 900 millions pour solder des créances particulières, et ne pensez-vous pas que l'annonce seule équivaudrait à un coup de tocsin sonné d'un bout de l'Europe à l'autre, et quand bien même contre toute attente cette catastrophe n'aurait pas lieu, quand des chambres dociles voteraient pour cet objet 40 ou 50 millions de rentes outre toutes celles qu'il faudra pour pourvoir aux autres engagements et aux dépenses de l'Etat, cette émission hors de toute mesure ne tuera-t-elle pas le crédit et n'ôtera-t-elle pas aux rentes toute leur valeur? Ne sera-ce pas de véritables feuilles de chêne que l'on donnerait aux créanciers et si l'on voulait couvrir cette dépréciation par d'autres rentes, on arriverait finalement et très promptement à zéro.

Il sera de mon devoir de vous dévoiler notre situation sans détour. Je fais travailler en ce moment à une classification qui, en présentant un calcul approximatif de la masse des créances, fera voir en même temps de quels objets principaux elles se composent. Je m'adresserai alors avec confiance aux Cours alliées et je les supplierai d'autoriser les Ministres à s'entendre avec moi sur les moyens à proposer pour modifier les conventions existantes. Ce sera alors, mon cher Prince, que j'en appellerai à votre bon esprit, je ne parle pas de votre bienveillance, quoique j'y compte bien; je ne veux pas la réclamer dans cette circonstance mais je suis sûr que quand je vous dirai: la bonne volonté ne nous manque pas, mais il y a impossibilité physique à faire davantage, je suis sûr, dis-je, que vous ajouterez foi à mes paroles et que de votre côté vous ferez tout ce qu'il vous sera possible pour nous aider.

Agréez, mon cher Prince, l'assurance bien sincère de mon inviolable attachement et de ma haute considération.—RICHELIEU

P.S.—Caraman vous dit mille et mille choses. Il vous reviendra et en est bien heureux. Je le crois et l'envie.

To this long and substantial letter, Metternich answered immediately, touching briefly on some of the matters that had been transacted in the previous exchanges but avoiding what had been Richelieu's main preoccupation: [28]

MONSIEUR DE VINCENT vous montrera, mon cher Duc, les dépêches que je lui ai adressées aujourd'hui. Je ne puis rien leur ajouter, et je me flatte que vous serez content de moi. Il me paraît que la déraison et l'inconséquence ne peuvent être vaincues que par les contraires. Nous ignorons depuis longtemps les effets de l'humeur quand nous avons à faire au cabinet de Madrid. Le sentiment de la pitié l'emporte dans ce cas sur tout autre et il ne faut pas scruter dans le temps qui court avec ses amis ou avec ceux qui ne savent ni ce qu'ils veulent ni ce qu'ils font quand ils ne le sont pas ou qu'ils ne croyent pas l'être.

Vous verrez par les instructions de M. de Vincent la justice entière que nous rendons à la conduite aussi éclairée que loyale que vous avez tenue dans le cours de la négociation dernière. On vous retrouve partout et toujours, mon cher Duc, et je vous authorise à compter sur la plus entière réciprocité de notre part.

Je viens de trouver une occasion toute naturelle d'entamer des pourparlers entre les grandes cours sur les mesures politiques à prendre à Paris le jour—que Dieu veuille éloigné—où le Roi succomberait à ses infirmités. Je prends pour base de ma conduite votre propre idée; elle est la seule bonne parce qu'elle est la seule pratique et qui ne fasse pas sortir les puissances du rôle et du seul caractère qui puisse leur convenir. J'aurai soin de vous tenir exactement au courant de mes succès et on

28. Letter sent from Florence, July 24, 1817, *Fds. Rich.*

finira par arriver à vous sans que personne jamais ne puisse se douter que vous soyez le point de départ du moyen que l'on vous proposera.

Je vous félicite sincèrement de la conclusion de votre Concordat. Il n'a jamais été question entre nous et Rome d'un concordat, mais j'avais désiré *terminer à la fois* et *d'un coup* cinq ou six points pitoyables en eux-mêmes et qui, vu ce fait, ne valent pas l'état de tension qu'elles entretiennent en Italie. J'ai perdu tout espoir d'arriver à ce but. Tout sera accordé par Rome, mais toujours le cas échéant; cette idée est . . .[29] et se lie à la position du Pape. Elle remplit si peu mes plans que j'ai renoncé au voyage de Rome. Je vouerai le reste du temps que je vais passer en Italie à m'entendre avec votre Ambassadeur sur l'affaire du Conclave. Vincent vous dira que je vais passer 3 ou 4 semaines aux Eaux de Lucques, faute de pouvoir prendre celles de Carlsbad.[30] On me mande de ce dernier lieu que Schwartzenberg [31] va à merveille et aussi bien que possible. Il marche sans canne; il a l'usage complet de son bras droit et toute son existence physique s'est retrempée.

29. One illegible word.

30. This apparently trivial change of plans was not without consequences for the pending negotiations. At Carlsbad, Metternich should have met the Prussian chancellor Hardenberg, the Russian minister Capo d'Istria, and the British ambassador to Vienna, Lord Stewart. Richelieu had hoped that this sort of informal little conference of the Allies would discuss the matter of the financial claims, which he was so eager to have solved. Caraman had even been sent to Carlsbad to lay before them the French arguments. It was, therefore, a great disappointment that Metternich did not appear in Carlsbad, and Caraman suspected that he had resorted to this trick in order to avoid discussing a question he felt was not ripe at the moment. (Caraman to Richelieu, August 24, 1817, *Fds. Rich.*)

31. Field-Marshal Prince Karl-Philip Schwartzenberg, who had been generalissimo of the Allied armies in 1814, had suffered a stroke some time earlier.

Adieu, mon cher Duc, que le ciel vous conserve et vous donne force et courage. Comptez sur mon ancien et inviolable attachement.—METTERNICH.

As soon as Metternich was back in Vienna (September 12), Caraman pounced upon him and asked him to direct his representative in Paris to bring before his colleagues the matter of the financial claims.[32] Richelieu himself had sent to the Allies a strong memorandum stating France's reasons for asking a new settlement of her debts.[33] This document received Metternich's complete approval,[34] and, generally speaking, the Austrian minister seemed unwavering in his favorable disposition. Soon afterwards, Caraman left for Paris where some family business called him. During his absence something happened which altered Austria's good will. The Prussians had answered angrily to Richelieu's memorandum; they wanted their pound of flesh. In a printed document they presented themselves as the true champions of all small German states whose claims the other great Powers were ready to sell away. Austria, who was aiming to establish her leadership of the German confederacy, could not let her archrival take the lead as defender of the German rights. Therefore, the language of Metternich suddenly became more

32. Caraman to Richelieu, Sept. 13, 1817, *Fds. Rich.*
33. Richelieu to Caraman, Sept. 17, 1817, *A.E., Cor. Pol., Autriche*, 398.
34. Caraman to Richelieu, Oct. 1, 1817, *ibid.*

cautious and the French *chargé d'affaires* in Vienna, Artaud, suspected him of having pledged
himself to support the Prussian stand.[35]

Richelieu, meanwhile, though he might have
been alarmed by this change of mood, took the
wise course of seeming unaware of any wavering.
In the following letter he spoke less of the financial
business than of the political matter of the end of
Allied occupation in France, which the settlement
would make possible.

JE VEUX PROFITER, mon cher Prince, du départ de
Caraman pour me rappeler à votre souvenir et vous re-
mercier des bonnes dispositions que vous nous marquez
dans cette triste affaire des liquidations qui m'occupe
sans cesse et qui est faite, je vous assure, pour faire
tourner la tête. Je la regarde, je vous l'avoue, comme
l'affaire capitale, non seulement de la France, mais de
l'Europe entière. C'est la boîte de Pandore dont une foule
de maux peuvent encore sortir et désoler le monde. Les
esprits ici s'irritent et s'épouvantent à la fois par tout ce
qui perce des charges immenses qui pèsent encore sur la
France. Il a fallu que le Roi en dit quelque chose dans
son discours,[36] afin de prévenir des interpellations qui
n'auroient pas manqué de m'être faites sur notre situation

35. Artaud to Richelieu, November 25, 1817, *ibid.*
36. Here are the words of the speech from the throne to
which Richelieu alluded: ". . . Les conventions que j'ai dû
souscrire en 1815, en présentant des résultats qui ne pouvaient
alors être prévus, ont nécessité une nouvelle négociation. Tout
me fait espérer que son issue sera favorable et que des conditions trop au-dessus de nos forces seront remplacées par d'autres
plus conformes à l'équité." (In Nettement, *Histoire de la
Restauration,* IV, 307).

politique et financière et auxquelles il eut été embarrassant de répondre. Maintenant j'espère qu'il ne me sera plus fait de questions indiscrètes et qu'on attendra plus patiemment l'issue des négociations qu'on sait exister. Il serait cependant bien nécessaire de pouvoir convenir de quelque chose avant la clôture de la présente session, et c'est à quoi je vous supplie, mon cher Prince, de faire une sérieuse attention. Nous voulons payer tout ce qui est juste et tout ce qui n'excèdera pas nos forces morales et physiques, car dans un gouvernement comme celui-ci le moral influe plus que dans ceux où tout se décide dans le cabinet. Il faut absolument que nous écartions toutes les difficultés qui pourroient retarder l'évacuation du territoire français après les trois ans. Je vous le dis avec vérité et avec la franchise que je mets toujours dans tous mes rapports avec vous, la France ne peut ni financièrement ni politiquement supporter plus d'un an encore l'occupation du territoire. Je vois croître chaque jour l'impatience et l'irritation, et l'espérance seule d'approcher du terme peut faire supporter cette situation. Si cet espoir s'évanouissait et qu'on ne vit plus qu'un leurre éloigné, je ne sais en vérité à quels excès on pourrait se porter. Bien sûrement personne ne pourrait répondre de la tranquillité publique. Je sais bien qu'on ferait mal, même pour son propre intérêt, qu'on serait écrasé, anéanti, mais comme il pourrait résulter de cette explosion des malheurs incalculables, il est de mon devoir de vous faire bien connaître les dangers de notre position, car tout le monde y est intéressé et c'est du maintien de l'ordre social qu'il s'agit. Nous faisons ici liquider à force. J'ai pris des mesures pour que cela marche aussi vite que possible mais quelque (*sic*) soient nos efforts, il me paraît impossible que cet ouvrage soit fini avant un an. Ne vaudrait-il pas mieux fixer un maximum et payer ensuite au prorata de chaque créance à mesure qu'elle sera liquidée? Si les ministres des quatre Cours étaient autorisés à négocier avec moi d'après cette base,

peut-être pourrions-nous nous arranger. Ce que je désire
sur toutes choses, ce serait de pouvoir présenter aux
Chambres le nouveau sacrifice que nous demandons à la
Nation et qui paroitra toujours énorme, quelque réduit
qu'il soit, de le présenter, dis-je, sous la protection de
l'affranchissement final de la France auquel aucune diffi-
culté pécuniaire ne s'opposerait plus. A l'aide de ce
passeport, j'espère que le vote des rentes nécessaires pour
assurer le payement des créances particulières et des deux
dernières années de la contribution n'éprouverait pas de
très grandes difficultés, quelqu'énorme qu'il doive nécessairement être. Sans cela, nous restons dans le vague, notre
avenir est incertain et rien ici ne se raffermit ni ne se
consolide. Voyez, mon cher Prince, s'il est possible d'arriver
à un résultat, sinon exactement le même, au moins ap-
prochant de celui que je vous propose. Surtout évitons
ce qui pourrait troubler le repos de l'Europe. Une seule
étincelle suffirait dans ce moment pour allumer un
effroyable incendie.

Continuez moi, mon cher Prince, votre bienveillante
amitié et croyez à mon inviolable attachement et à ma
haute considération.—Duc de Richelieu.[37]

When Caraman arrived in Vienna, the 1st of
December, he found that Artaud's reports, though
exaggerated, had some truth in them: Metternich
was still sincerely eager to help the French government, but the Prussian manifesto obliged him
to keep an eye on the German reaction.[38] He
wished, nevertheless, to keep Richelieu's confi-

37. November 21, 1817, *A.E., Cor. Pol., Autriche,* Suppl.
30, 268.

38. Caraman to Richelieu, December 5, 1817, *A.E., Cor.
Pol., Autriche,* 398.

dence and took the opportunity offered by the mission of one of his faithful collaborators.

JE NE VEUX PAS LAISSER partir M. de Floret que j'envoye par Paris à Londres, sans le charger d'un mot de remerciement pour la lettre que vous m'avez adressée, mon cher Duc, par M. de Caraman, votre ami et le mien. Il vous mande certainement avec trop de détails ce que nous nous disons pour que je ne puisse m'en rapporter entièrement à lui. Il ne peut cependant vous assurer trop de l'envie bien vraie qu'a l'Empereur et son ministre de vous prouver que nous regardons votre existence comme la nôtre, vos intérêts comme les nôtres et que par conséquent *vous prêcherez ici* (toujours et à tout propos) des *convertis*. Mais nous ne sommes pas des amis faibles et par conséquent inutiles. Nous vous servirons de notre mieux et nous l'avons déjà fait. Vos grandes questions finiront comme elles doivent finir. Acceptez en l'augure de ma part.

Adieu, mon cher Duc, conservez-moi amitié, souvenir, confiance, ces trois sentiments sont au reste tellement liés l'un à l'autre que je crois, en vous demandant l'un vous les demander tous trois.—METTERNICH.[39]

In the following weeks the first step in solving the problem of financial claims was taken when, according to a suggestion by Czar Alexander, the Allied and French governments agreed to accept the Duke of Wellington as arbiter. He was to examine on one hand the pretensions of the claimants, on the other the financial capabilities of France, and try to adjust the first to the latter. The principle once admitted, the machinery was

39. December 6, 1817, *A.E., Cor. Dipl.,* Autriche, 398.

nevertheless slow to function. The first step, after the acceptance of Wellington, was a formal meeting of the Allied ambassadors in Paris with Richelieu and Wellington. For this occasion Metternich was asked to send a new instruction to Vincent, which he did on January the 18th.[40]

40. The text of this document is to be found in Wellington's *Supplementary Despatches*, XII, 265–267.

# V. France's Internal Situation

In the meantime, a new matter of concern appeared in Metternich's mind regarding France. Until the end of 1817, he had approved heartily of the "middle-of-the-road" policy of Richelieu's ministry. But now he was beginning to find that the government was too exclusively directing its guns against the rightist, ultra-royalist opposition and forgetting the real danger which arose from a revival of the liberal left. The discussion of a new law on the periodical press during the month of December in the French Chambers gave vent to expression of radical theories which shocked Metternich. These theories, he was afraid, would encourage the liberal movement in some German states.[41]

Richelieu, who had been constantly kept aware of Metternich's change of opinion by Caraman's dispatches and private letters, made an effort to dispel these doubts. In a private letter to Cara-

41. Caraman to Richelieu, December 31, 1817, *Fds. Rich.*

man, which the Ambassador was to read to Metternich, Richelieu explained his government's general policy. Unfortunately, we have not found this letter, though we were able to consult what is left of Caraman's personal papers through the courtesy of one of his descendants, Mme. Firino-Martell. The general line of his argument can be gathered by the content of Metternich's answer:

Vienne, ce 25 janvier 1818.[42]

CARAMAN EST VENU ME TROUVER hier, mon cher Duc, pour me porter votre dernière lettre à lui. Le courrier que j'ai expédié à Paris il y a 5 à 6 jours sert de réponse à tout ce que vous lui demandez.

Je me flatte que les instructions que nous avions transmises à Vincent finiront les grandes affaires. On parle depuis plusieurs mois, tout le monde est plus ou moins du même avis et la barque cependant n'a pas avancé. Dès que les négociations se trouvent placées ainsi, il faut prendre le parti de s'arrêter à une rédaction courte, claire et précise et faire voter sur les termes de la rédaction. C'est ce que j'ai désiré amener. Je suppose que vous serez fort avancé en besogne, même avant l'arrivée du présent courrier, et si tel est effectivement le cas, je me féliciterai d'avoir fait une rédaction, la plus facile, au reste, qu'il soit possible de coucher sur le papier.

Je compte trop sur tout ce que vous mande votre ambassadeur pour ne pas m'en rapporter à lui pour tous les autres objets qui vous occupent et qui réclament à si juste titre la sollicitude des autres Cours. Nous nous trouvons placés sur une terre tranquille et nous sommes dans le cas de juger avec impartialité de ce qui se passe autour de nous. Je suis certes du petit nombre d'observateurs tranquilles et froids; je n'ai aucun doute sur ma façon

42. *Ibid.*

de juger les hommes et les choses; je ne suis pas arrivé encore à craindre beaucoup, mais je ne suis pas content.

Vous avez développé dans votre lettre à Caraman avec infiniment de justesse, la différence qu'offre la marche parlementaire en Angleterre et en France. Je crois avec vous que cette différence tient en grande partie à celle du caractère national; elle se lie cependant également à un manque d'habitude en France. Tout, dans ce monde, doit s'apprendre, et il en va des discussions dans les chambres comme de tout autre chose.

Le temps usera en France l'un des partis—celui des ultra-roïalistes. Les hommes meurent et les souvenirs s'effacent. Il est déplorable que ce parti se soit formé car il devrait être l'appui le plus sûr du trône. Son existence et sa forme datent cependant de l'année 1814. Ce sont les ultras et les hommes faibles qui se sont trouvés placés à la tête du gouvernement pendant les dix mois de la première restauration, qui a fait (*sic*) chanceler le Roi dans sa marche et c'est ce parti qui peut se vanter d'avoir en grande partie facilité la crise de 1815. Le seul reproche qu'il y ait peut (être) à faire au nouveau ministère, c'est celui d'avoir attaché trop de valeur à combattre ce même parti depuis la session de 1816. Je commence à croire que la crainte ou l'humeur ont causé plus (de) déplacemens dans les départemens [43] qu'il n'eut peut-être été nécessaire de faire. Vous ne parviendrez pas à placer hors de jeu les chefs tels que les Villèle et les Corbière [44]—il faut tâcher de les attacher à la marche du gouvernement, mais les petits *ultrà* dans les provinces ne deviendront grands qu'autant qu'ils seront *véritablement persécutés*. Or c'est

43. One of the grievances of the ultra-royalist party against the government was the removal of a great number of rightist local officials.
44. Joseph de Villèle, deputy of Toulouse, and Jacques Corbière, deputy of Rennes, were the two recognized parliamentary leaders of the ultra-royalist opposition.

ce fait, auquel je n'ai pas cru malgré tant de preuves et de citations qu'on s'est plu à me faire parvenir, mais j'avoue que je commence bien malgré moi à devoir l'admettre comme possible.

Le général Frimont,[45] homme calme, excellent roïaliste placé par caractère hors de tout esprit de parti commence depuis quelques courriers à mander au Prince de Schwartzenberg *"qu'il se passe sous ses yeux des choses qu'il ne comprend pas."* Il entre dans plusieurs détails qui confirment ce que l'on me mande de Paris—ce que débitent les chefs du parti ultrà dans vos Chambres et ce qu'ils impriment dans de misérables pamphlets. Ce que j'avais cru pouvoir mettre en doute, je ne le crois pas encore, mais je n'ai plus le droit de le nier. Le fait au reste est assez facile à expliquer, et ne fut-ce que par la tendance trop prononcée que prend toujours un gouvernement ou un parti contre un autre qui le tourmente à tout propos. Je vous parle de ce fait, parce qu'il coule de la plume d'un homme en qui j'ai toute confiance et je vous le donne sans y attacher plus de valeur que la chose mérite peut-être.

Cet état de choses fera, mon cher Duc, que vous serez livré à vous-même dans le courant de 1818, sans que ni vous ni vos amis les alliés sauront trop à quoi s'en tenir sur le plus prochain avenir. Tel doit au reste être le cas à la suite de toutes les crises politiques: les élémens une fois remués n'offrent de sitôt ni symétrie ni applomb. La France est en décombres; le tems et des mains habiles peuvent seul (*sic*) parvenir à déblayer le terrain et à ranger tant de masses confusément jetées.

Il faudra que vous ayiez à la suite de l'évacuation un autre ambassadeur d'Angleterre que le Ch. Stuart. Pourquoi ne demandez-vous pas Wellington? Je ne crois pas

45. The General Baron de Frimont, native of the province of Lorraine, had emigrated in 1791 and having entered the Austrian service, made a brilliant military career. Since 1815 he was commander of the Austrian occupation in France.

que la chose serait impossible à obtenir. Désoeuvré, il se
retrouvera mal en Angleterre et rien ne l'empêcherait de
faire la navette entre Paris et Londres, ce qui doit assurément l'arranger.

Adieu, mon cher Duc. Vous pouvez compter en toute
occasion sur les amis de Vienne.

Recevez les assurances de mon sincère attachement.—
METTERNICH.

With this letter came another one concerning
an unrelated but not altogether new matter. We
find it mentioned in the diplomatic correspondence
as early as September, 1816. The Algerian piracy
in the Mediterranean was an object of concern
for the maritime powers. The British government
proposed the creation of a sort of naval league or
police force, which, of course, would be under its
leadership. But both Austria and France were
suspicious of British intentions. They felt that this
proposition was related to the efforts that were
being made at the same time by England to establish the right of visit as a means of curbing
the slave trade. France was strongly opposed to
such a concession, and Austria was unwilling to
strengthen British naval preponderance in the
Mediterranean.

Metternich had concocted a plan to forestall
the British: the revival of the Order of the Knights
of Malta. The powers concerned with the secu-
rity of Mediterranean navigation would give the
Knights subsidies amounting to the sums they
would otherwise have to devote to the protection

of their trade.[46] This was the idea that Metternich now set clearly before his French colleague:

Vienne, le 25 janvier 1818 [47]

M. DE CARAMAN VOUS A ÉCRIT, mon cher Duc, sur une idée relative à l'ordre de Malte. Je vous préviens que j'ai une réponse de Londres qui n'est pas contraire à la chose. Veuillez me faire savoir si vous admettez la question sous le point de vue de principe,

1°) qu'il faut une institution permanente dans la Méditerranée qui soit chargée de la police contre les forbans,

2°) qu'il s'agit d'empêcher que le prétexte d'une station permanente dans la Méditerranée ne serve de fait à y établir une force armée qui finirait tôt ou tard à s'emparer de cette mer,[48]

3°) qu'il serait utile de confier à une force indépendante la police contre les forbans,

4°) que l'ancien ordre de Malte pourrait être appelé à ces fonctions le jour même où il aurait acquis de nouveau une existence indépendante.

Si ces principes sont une fois adoptés il s'agira assurément de s'occuper des moyens,

de recréer et de doter l'ordre

de lui donner une constitution et de lui assurer une existence directement dirigée vers le but de sa nouvelle institution,

de prendre en considération les moyens de préparer sa mise en activité, c'est-à-dire de se concerter et de convenir des mesures qui pourraient être absolument nécessaires pour réprimer l'audace que les Algériens et les Tunisiens prouvent dans ce moment.

46. Caraman to Richelieu, January 3, 1818.
47. *Fds. Rich.*
48. According to Caraman's letter of January 3, 1818, Metternich was thinking here of Russia, and this explains his hope of gaining the support of the British for his strange proposition.

Vous voyez, en un mot, mon cher Duc, qu'il s'agit de
deux choses parfaitement liées entre elles quelque dis-
tinctes qu'elles puissent être dans leurs moyens d'exécution, savoir:

*la mesure permanente*
*et celle du moment.*

Dès que je saurai ce que vous pensez de la chose, je
vous enverrai un mémoire que je ne me donnerai la peine
de rédiger que quand je croirai pouvoir le faire autrement
qu'à pure perte. La France et l'Autriche d'accord sur le
principe et sur ses conséquences, la chose commencera à
se présenter comme faisable avec le concours de l'Angleterre. Nous aurons de prime abord contre nous la Russie et
l'Espagne. Nous finirons par les avoir pour nous, le jour
où nous procéderons dans véritable esprit de justice et de
raison.

Veuillez me mander un mot sur cette importante question et cela le plus tôt possible.—METTERNICH.

Richelieu answered these two letters with a
carefully worded message.[49]

JE PROFITE DU DÉPART de M. de Floret, mon cher
Prince, pour répondre aux deux bonnes lettres que vous
avez eues la bonté de m'écrire et dont je vous remercie de
tout mon coeur. Vous prenez intérêt à nous, j'en suis sûr,
et vous nous jugez avec une impartialité que la situation
tranquille où vous vous trouvez rend encore plus complète. Si je me suis attaché dans ma lettre à Caraman à
faire ressortir surtout la différence qu'il y avait entre notre
marche parlementaire et celle de l'Angleterre, je n'ai pas
prétendu faire abstraction du caractère national et de la
jeunesse de nos institutions auxquelles nous ne sommes pas
encore façonnés. Notre éducation politique est encore à

49. February 13, 1818, *A.E., Cor. Pol., Autriche,* Suppl. 30.

faire et l'irritation dans laquelle se trouvent les esprits, fruits de nos troubles, n'est pas une disposition favorable pour nous former promptement. Cette déplorable division entre les différentes nuances de royalistes est venue mettre un obstacle de plus à la marche de notre système de gouvernement. Je vois par votre lettre, mon cher Prince, que vous êtes un peu ébranlé par cette masse de calomnies que des gens, d'ailleurs fort estimables, répandent sur nous. En honneur et conscience, je ne crois pas que nous en méritions aucune. Je n'ai cessé de désirer un rapprochement, je l'ai tenté il y a un mois, toujours en vain. Quant aux destitutions, il fallait bien changer dans les départements les hommes qui s'étaient déclarés ennemis du système adopté. Que pouvions-nous faire avec des agens qui marchaient dans un sens directement opposé au nôtre? Mais ces destitutions ont été le plus rare possible, et il y a trois mois par exemple qu'il n'en a été fait aucune. Cela n'empêche pas que tous les salons de Paris rettentissent du bruit de ce que nous faisons ou allons faire; peuvent-ils dire sûrement que nous allons renvoyer tous les officiers de l'armée qui n'ont pas 4 ans de service, désorganiser la Garde royale, etc. etc. Faites-nous le plaisir de n'en pas croire un mot. Nous sommes cruellement harcelés mais nous cherchons à ne pas nous laisser aller à une amertume qui serait assez naturelle mais qui gâterait encore plus nos affaires. Nous sentons très bien que les hommes qu'une fatalité a fait nos ennemis doivent devenir un jour notre appui le plus ferme, et que rien ne doit être oublié pour amener cette réconciliation le plus tôt possible. Je vous proteste que c'est là notre profession de foi à tous et que comme aucun acte de gouvernement ne se fait qu'en conseil, qu'aucune nomination ni révocation n'a lieu que du su et du consentement de tous, il ne peut y avoir de différence dans notre façon d'agir. Ferons-nous aller notre barque avec le système que nous avons adopté et au milieu des écueils qui nous environnent, c'est en vérité ce

que j'ignore, mais je suis convaincu qu'elle eut déjà cha-
viré, si nous avions pris une direction contraire; jamais
tâche ne fut plus difficile et ce qu'il y a de fâcheux, c'est
que l'on a toujours tort aux yeux du monde, quand en ne
réussit pas.

J'espère que notre affaire de liquidations marchera grâce
aux sages et bienveillantes suggestions que vous avez
données. Le duc de Wellington y met toute la loyauté de
son caractère et le désir du bien qui lui est propre. Vous
aurez su l'attentat qui a été porté sur sa personne, il y a
deux jours.[50] D'après une lettre qu'il avait reçue 3 jours
avant de la Belgique, il paraît que c'est le fruit d'un
complot des jacobins de tous les pays. Vous pensez bien
que nous ne négligerons rien pour le découvrir et j'ai
quelque espérance que nous y parviendrons. Dans quel
temps et avec quels gens sommes-nous destinés à vivre!
Vous voulez, mon cher Prince, que je vous donne mon avis
sur la resurrection de l'ordre de Malte et sur la convenance
qu'il y aurait à l'employer à faire la police de la mer
Méditerranée, contre les Barbaresques. Je vous dirai
d'abord que je préfèrerais sans comparaison cet arrangement à celui d'une ligue maritime, telle que celle que
propose l'Angleterre; mais pour la faire agréer ici, il
faudrait s'entendre sur plusieurs points de vue qu'il serait
nécessaire de fixer. D'abord notre législature actuelle ne
permettrait pas que l'admission dans l'ordre fut réservée
exclusivement à un ordre particulier [51] et que tous les
citoyens indistinctement devraient y être admis. 2° Les
voeux perpétuels répugneraient beaucoup aussi, c'est qu'ils
sont défendus aux ordres religieux qui existent encore. 3°

50. Late in the evening Wellington was driving back to his
residence when a would-be murderer, who was to escape all
future researches, aimed at him a pistol shot that pierced his
carriage without hurting him.
51. It will be remembered that under the old rule the
Knights of Malta had to be born noblemen.

Le lieu où l'on établirait l'ordre influerait beaucoup aussi
sur la manière dont je crois qu'on envisagerait en Europe
son rétablissement. J'ai entendu dire que vous voudriez
lui abandonner l'isle de Lissa et je ne crois pas que cette
position parût convenir au but auquel l'ordre serait destiné. La position de Lissa au fonds du golfe adriatique
dans lequel les Barbaresques ne paraissent jamais et si
éloigné de leur repaire paraîtra peu propre à l'établissement de l'ordre qui doit réprimer. Il me semble qu'il existe
un point qui conviendrait bien davantage. J'ignore s'il
vous serait possible d'en disposer; c'est l'isle d'Elbe dont
la situation sur la côte d'Italie, le beau port et le peu
d'étendue, présentent pour le but proposé, tous les avantages possibles. Je ne sais si vous pourriez ou voudriez en
obtenir le sacrifice du grand-duc de Toscane, mais il me
semble que le choix de ce point lèverait bien des difficultés. Il ne serait pas impossible à ce que j'imagine
d'écarter celles qui résulteraient de la dotation de l'ordre
en France: ses bois non vendus rapportent environ 6 à 700
mille francs et pourvu que ce ne fût pas cette année, on
consentirait, j'espère, à les rendre. Vous sentez au reste
que je ne puis sur ce point donner que des probabilités
jusqu'à ce que la chose fût assez mûre pour que je puisse
entamer sur cela une négociation avec les membres influents des deux chambres. Vous voyez, mon Prince,
quelles sont mes idées sur cette idée qui d'ailleurs me
plairait personnellement beaucoup. Je doute au reste qu'on
pût la faire accueillir à l'Espagne qui trouve très bien de
jouir des grands biens de l'ordre.

Avant de finir cette longue lettre, je veux vous dire un
mot des armements considérables qui se font en Angleterre en faveur des insurgés espagnols. Ils deviennent si
considérables que sûrement le Prince Esterhazy vous en
aura parlé. J'ai quelque raison de croire que ces expédi-
tions, ainsi que celles qui se préparent aux Etats-Unis ont
pour but la délivrance du prisonnier de Ste-Hélène, et s'ils

se réunissaient, qu'ils fussent dirigés par un homme de tête
(on cite pour chef lord Cochrane auquel [52] on ne refuse
pas des talens) le succès ne serait pas impossible. L'attention du Marquis d'Osmond [53] est singulièrement éveillée
sur ce point, et je lui ai bien recommandé de braquer
continuellement ses lunettes sur Ste-Hélène. Quelques
avis donné également par vous au cabinet anglais accroi-
traient encore sa surveillance, et je pense qu'elle ne
saurait être trop active. En général, il serait bien important
de s'occuper des Amériques. Il faudrait créer là des
monarchies, car si l'Europe laisse s'établir sur toutes ces
rives une suite de gouvernements républicains, elle se
préparera bien des troubles et des convulsions pour
l'avenir. Cette idée aurait besoin de grands développe-
ments, mais en voilà assez et peut-être beaucoup pour
aujourd'hui.

Agréez, encore une fois, mon cher Prince, l'expression
de ma reconnaissance pour l'amitié que vous me témoignez
et comptez sur mon inviolable attachement.—RICHE-
LIEU.

With this letter from Richelieu, Floret had
brought back from Paris a number of other documents or personal reports certain to create deep
concern in Metternich's mind. General Vincent,
his ambassador, depicted in the darkest colors the
dangers arising from the adoption of the military
law, which was to give great influence to Bona-
partist elements. The ministry itself seemed weak

52. Lord Thomas Cochrane, British war hero, radical M.P.
and adventurer, who was to serve in succession with the South
American insurgents and the Greek patriots.
53. The Marquis René-Eustache d'Osmond, a career diplomat even before the Revolution, was then France's ambassador
in London.

and disunited, and the course taken by Decazes, Minister of Police and favorite of Louis XVIII gave rise to some misgivings. The ultra-royalist party, sensing the change of mood in the Allied governments was increasing its attacks and trying to gain support from the outside. Monsieur, brother of the king, had had a confidential conversation with Vincent in which he discussed the dangers of the moment and the conditions under which he would rally the government. This offered to Metternich the opportunity he had long been looking for to close the ranks of the French royalists, the division of which seemed to play into the hands of the leftist elements. He decided, therefore, to have his sovereign write words of reason to the stubborn prince.

All this was discussed at length between Metternich and Caraman, and the latter reported these conversations in a very long and secret message to Richelieu dated March 4, 1818.[54] Metternich himself penned a letter for the French Premier, but as he knew that all his words would be relayed faithfully by Caraman, he could be brief.

Vienne, le 4 mars 1818.[55]

C'EST AVEC BIEN DE LA RECONNAISSANCE, mon cher Duc, que j'ai lu l'intéressante lettre que vous avez bien voulu m'adresser. J'ai reçu par le même courrier un rapport de M. de Vincent qui nous rend compte d'un entretien qu'il a eu avec M. le comte d'Artois; il me prévient qu'il vous

54. *Fds. Rich.*
55. *Fds. Rich.*

a mis au fait des détails de cette entrevue et je ne puis qu'applaudir aux explications de notre ministre dans une circonstance délicate. Je vais répondre par une dépêche ostensible pour M. le comte d'Artois et que Vincent vous fera voir. L'Empereur désire avant tout le maintien du repos; il entrevoit des motifs de trouble dans la malheureuse scission qui existe entre les Princes et le gouvernement; il part du principe que c'est aux premiers à se rapprocher du Roi et nullement au gouvernement à faire les premiers pas; il croit que la seule vérité est bonne à dire et à défendre vis-à-vis d'un parti quelconque; il m'a donc ordonné de prouver au Cte d'Artois qu'il n'a pas mal placé sa confiance en faisant une démarche vis-à-vis de S.M.I. Elle désire lui fournir des preuves de ce fait par l'extrême franchise avec laquelle on lui dira ce que l'on pense à Vienne.

J'ai eu plusieurs et de longues conversations avec Caraman. Je suppose qu'il vous en rendra compte par le courrier de ce jour. Ne voyez dans tout ce qu'il vous mandera, mon cher Duc, que des preuves de l'extrême importance que nous attachons ici à ce que tout aille bien en France, que le gouvernement du roi se consolide et qu'il parvienne à vaincre les difficultés de tout genre inévitables à la suite de 30 années de révolution, mais qui ne peuvent être vaincues que par la marche la plus énergique et la plus éloignée de tout genre d'erreur. J'entrerais ici dans beaucoup de détails si je n'avais une pleine confiance dans votre Ambassadeur. Nous causons beaucoup ensemble, nous sommes à peu près toujours d'accord et peut-être nous trompons-nous quelquefois, mais dans ce cas ne mettez ce fait que sur le compte de notre éloignement du centre de vos affaires. Monsieur de Caraman ne vous dira jamais assez combien je fonde d'espérances sur vous, sur votre caractère et sur votre loyauté. Je connais une grande partie des difficultés que vous avez à vaincre; il doit m'en échapper plusieurs, et il n'en reste que trop! Vincent a l'ordre de se tenir dans les relations les plus intimes avec vous et il agira toujours dans les intentions de l'Empereur s'il vous seconde.

Vous recevrez incessamment le memorandum sur l'ordre de Malte. Il s'entend que pour que la France y puisse vouer un intérêt actif, il lui faut, sous une infinité de rapports, une constitution nouvelle, et surtout relativement à une langue française, qui veut la chose doit vouloir les moyens. Je ne suis personnellement point éloigné de l'idée de l'Isle d'Elbe, mais j'ignore encore complètement s'il sera possible de la faire goûter au Grand Duc. Je m'occupe dans ce moment de tirer l'action au clair. L'Empereur désire, par le rétablissement de l'Ordre, faire ce qui est utile et empêcher ou prévenir ce qui serait mauvais ou même mener à des complications quelconques; or il nous paraît que toute Nation seroit dans le dernier de ces cas.

L'Empereur partira le 10 avril pour faire la tournée de la Dalmatie. Il sera de retour ici vers la mi-juin.

Adieu, mon cher Duc. Vincent vous montrera ma dépêche mentionnée ci-dessus, dès qu'il l'aura reçue et ce sera sous très peu de jours que je lui expédierai un courrier.

Recevez les assurances de mon bien sincère attachement.—METTERNICH.

Richelieu felt it very necessary to dispel Metternich's misgivings, and the long letter he wrote presented the strongest case for his government's policy: [56]

QUOIQUE FORT OCCUPÉ de notre triste affaire de liquidations, je ne puis, mon Prince, laisser partir votre courrier sans vous dire combien j'ai été touché de la

56. March 17, 1818. *H.H.S.A., Frankreich, Varia,* 91.

lettre que vous avez eu la bonté de m'écrire le 4 mars.
Vous pouvez être bien assuré que je n'attribuerai jamais
ce que vous me direz ou ce que Caraman me dira de votre
part qu'au désir que vous avez de nous voir marcher dans
la bonne route, et nous consolider, s'il est possible, en
raffermissant en même temps le repos de l'Europe. Il
ne serait pas bien étonnant que dans la position où nous
sommes et dont les difficultés n'ont, je crois, jamais eu
d'égales à aucune époque de l'histoire, il ne serait pas,
dis-je, fort surprenant que nous eussions fait des fautes et
nous ne pourrions avoir que de la reconnaissance pour
nos amis s'ils voulaient nous les signaler afin de nous
entendre sur les moyens de faire mieux à l'avenir.

Parmi ces difficultés la plus grande est certainement
celle qu'a produit la divergence d'opinions dans la famille
royale, puisqu'elle sert de prétexte à une opposition qui
établit en France deux peuples ennemis, dont les passions
réagissent sans cesse et réciproquement les unes sur les
autres et entretiennent un dangereux foyer d'agitations et
de troubles. J'ai employé tous les moyens pour faire cesser
cette division, mais inutilement; il eut fallu pour y réussir
renoncer à un système que je crois le seul praticable et
adopter celui de nos adversaires qui ne me paraissait
propre qu'à amener une catastrophe. En se refusant ob-
stinément à se réunir à nous, ce parti (puisqu'il faut bien
lui donner ce nom) nous a mis dans la nécessité de
l'éloigner des emplois de quelque importance, et de les
confier à des hommes qui consentaient à marcher dans
notre ligne, quoiqu'ils n'eussent pas peut-être donné
des preuves de fidélité aussi éclatantes. Ce fut un malheur
de la position où nous nous trouvions placés, mais malheur
inévitable. Nous avons à plusieurs reprises sollicité
Monsieur de se réunir à nous, l'assurant que le premier
pas fait, places, emplois, grâces de toute espèce seraient
distribués aux royalistes de quelque couleur qu'ils fussent.
Tout a été inutile et jusqu'à présent nous n'avons pu les

rallier aux opinions et aux volontés du Roi. Je suis curieux de voir si la commission que vous avez donnée à M. de Vincent et que personne ne peut, certes, remplir mieux que lui, aura plus de succès. Je le désire vivement et je suis pénétré de reconnaissance pour la bonne idée que vous avez eue de profiter ainsi de la démarche de Monsieur auprès de votre ministre. Je m'abstiens de toute conjecture sur l'effet probable qu'aura la communication des sentiments de l'Empereur faite d'une manière aussi solennelle; je me borne à faire des voeux bien sincères pour qu'elle amène une réunion franche et sincère dont j'attendrais les plus heureux résultats.

Je sais, mon cher Prince, qu'on nous a reproché d'avoir réveillé l'esprit national par le discours du Roi à l'ouverture de la session, de lui avoir donné une direction contre les étrangers et d'avoir augmenté par là l'irritation et rendu la négociation sur les affaires d'argent plus difficiles. Il me semble que cette accusation n'est pas bien fondée. Rappelez-vous, je vous prie, les arguments de tous les ennemis de la maison de Bourbon: un roi imposé par les armées étrangères, ne se soutenant que par elles et exploitant à leur profit toutes les richesses de la France. Au même moment, les bruits répandus partout sur l'énormité des réclamations particulières portées à 1.500 millions de francs et enfin les fameuses instructions prussiennes réclamant impérieusement l'exécution stricte des traités et rendues publiques par la voie de l'impression. Je vous le demande, mon Prince, était-il permis à un Roi de France, ouvrant la session de son parlement, de rester muet sur les grands intérêts; était-il plus sage de laisser divaguer l'opinion sur ces graves objets et d'ouvrir la porte à toutes les déclamations de tribune, que de prendre soi-même l'initiative et de donner quelques espérances pour ramener la patience et la résignation. Par là le Roi s'associait à la nation dont ses ennemis veulent toujours l'isoler, il inspirait la confiance et arrêtait dans

le principe tous les efforts des malveillants pour em-
brouiller et gâter nos affaires avec les étrangers. Je crois
que sur ce point nous pouvons facilement nous justifier
et c'est ce que j'ai souvent dit au duc de Wellington qui
supposait que nous pouvions avoir quelque tort à cet
égard.

Il est assez naturel d'attribuer aussi aux fautes du
ministère une certaine tendance vers les idées démo-
cratiques qui ne se fait malheureusement que trop re-
marquer, mais il me semble que cette tendance existe
dans toute l'Europe, et la France ayant une forme de
gouvernement qui permet à ces idées de se développer
par des discours et par des écrits, il n'est pas bien
étonnant qu'elles s'y montrent plus à découvert et avec
plus de vivacité. D'après notre constitution, nous n'avons
que le droit de direction; comment voudrait-on nous rendre
responsables des écarts de la presse après nous avoir
refusé les moyens de les réprimer. Serait-ce le gouvernement prussien qui nous reprocherait trop de faiblesse
lorsqu'il trouve bon que M. Görres [57] ramasse dans le
Grand duché du Bas-Rhin 20 milles signatures et vienne
à la tête de sa soi-disant députation des Etats, discourir
à Coblentz avec le Prince de Hardenberg sur les grandes
questions de législation, qu'il aille ensuite imprimer un
pamphlet, où il met en scène le Prince chancelier, et le
fait donner un assentiment absolu aux assertions de M.
Görres sur la liberté de la presse, le système représentatif,
etc.? Si la dixième partie de tout cela s'était passée chez
nous, ce serait alors qu'on aurait bien des reproches à
nous faire. Ne croyez pas, au reste, mon cher Prince, que

57. Joseph von Görres, liberal writer, editor of the powerful
*Rheinische Merkur,* which had played an important part in
arousing German patriotism against Napoleon. In 1820, he was
to clash with the Prussian government and to seek freedom in
exile. The meeting with Hardenberg to which Richelieu alludes
here was held on January 12, 1818.

je sois indifférent au développement de ces principes
révolutionnaires; j'en suis au contraire bien effrayé et ce
serait pour les combattre que je voudrais voir la réunion
de tous les royalistes. Mais je voudrais affirmer que ce
n'est pas à la marche du ministère qu'elle est due et
qu'en quelque partie de l'Europe qu'il existe un gouvernement semblable au nôtre, cet esprit ferait une irruption
et plus vive et plus dangereuse. Si l'on ne trouve pas un
moyen de restreindre et de réprimer la liberté de la
presse, elle tuera l'ordre social en Europe et aucun
gouvernement ne sera en état d'y résister. Buonaparte le
savait bien et en fait de talent de gouvernement on peut
convenir qu'il le possédait au suprême degré. Ce sera
une chose qu'il faudra méditer d'ici au congrès des
souverains afin de tenter d'y apporter remède.

Au reste quel que soit l'état de la France et quels que
puissent être les progrès de l'esprit démocratique jusqu'au
mois de novembre, je persiste à croire que le séjour de
l'armée d'occupation ne peut être prolongé au-delà des
trois ans sans les dangers les plus réels, et sans parler de
l'état des finances qui ne permettrait pas de trouver encore
150 millions l'année prochaine pour cet objet, l'irritation
seule contre le gouvernement royal rendrait sa chute
inévitable au moment où il faudrait pourtant une fois en
venir à l'évacuation. Un roi de France retenant les
étrangers lorsque d'après les traités il peut demander leur
éloignement ne saurait s'établir dans son pays ni affermir
la couronne dans sa famille. Peut-être y a-t-il quelque
danger à retirer l'armée d'occupation au mois de novembre
1818, mais on doit le braver et il faut tâcher de le prévenir;
en 1820, ces mêmes dangers seront sans remède et
inévitables. Cette occupation d'un grand pays par des
forces étrangères est un état tellement contre nature que
je regarde comme un miracle qu'elle ait pu se prolonger
jusqu'à ce jour sans les plus graves inconvénients. . . Le
seul moyen d'empêcher que cette mesure [l'évacuation]

n'ait pas de suites fâcheuses, c'est de tâcher d'avoir une bonne armée.

Nous avons eu ce but devant les yeux en proposant la loi de recrutement. Je sais qu'on a quelques préventions contre elle, et je voudrais essayer de les détruire. D'abord il me semble qu'elle est purement défensive. La France avec une armée de 240 mille hommes, officiers, vétérans, gendarmerie comprise, n'est assurément pas armée en proportion des autres grandes puissances. La réserve de vétérans n'est susceptible d'être réunie qu'en cas de guerre, et en attendant ne sera ni organisée, ni armée, ni équipée, ni assemblée. En quoi donc pourrait-elle être à craindre, et à quoi se réduisent toutes ces déclamations contre le soi-disant rappel de l'armée de la Loire,[58] et cette institution d'une armée parlementaire. Ce qu'il y a de singulier c'est que l'article de la réserve des vétérans a été amendé sur la proposition de M. de Villèle, qui est venu nous proposer de voter pour nous avec tout son parti, si nous adoptions son amendement, ce qui fut fait. A la Chambre des Pairs, le même parti a attaqué l'article amendé avec la plus grande force. Il est évident pour tout homme de bonne foi que cette réserve ne peut être d'aucun danger pour la tranquillité publique. D'ici à 3 ans il n'y aurait pas un soldat qui eut servi sous Bonaparte, et comme ils ne seront ni réunis ni organisés, quel mal pourraient-ils faire à l'Etat?

Reste l'avancement qu'on a beaucoup critiqué. Voici, mon Prince, quels motifs nous ont déterminés. Deux fois dans les derniers temps l'armée a trahi et abandonné le Roi, en 1789 et en 1815; elle devait donc renfermer dans son sein une cause d'indiscipline et d'infidélité. On ne saurait la trouver que dans une répartition inégale des grades et récompenses, dans une variation continuelle

58. The French troops, which, after Waterloo, had retreated from Paris to the Loire. For some time, they appeared as a threat to the restoration of Louis XVIII.

des principes d'avancement et une violation fréquente des ordonnances. Ce qui s'est passé dans ce genre à la première restauration a beaucoup contribué à éloigner l'armée. Quel moyen fallait-il donc prendre pour l'attacher d'une manière inébranlable à l'ordre des choses actuel? Fixer son sort aussi solidement qu'il serait possible. L'ordonnance ne nous présentant malheureusement rien de stable, nous avons cru devoir recourir à la loi, et je suis convaincu que l'armée que nous allons créer, contente de son sort et des espérances qui lui sont offertes ne songera plus à troubler l'Etat, et sera au contraire son plus ferme soutien. Au reste nous sommes dans un tel état d'épuisement financier que nous ne pourrons guère augmenter l'armée cette année que de 20 à 25 mille hommes d'infanterie, pour la cavalerie il n'y faut pas songer et de bien longtemps on ne pourra porter l'armée au complet de 240.000 hommes.

Encore un mot sur les liquidations, mon cher Prince, et je finis cette trop longue lettre. Le duc de Wellington travaille à cette pénible affaire avec une ardeur, un zèle et une impartialité qui méritent toute notre reconnaissance. Il espère finir incessamment. Il ne m'a encore rien dit des propositions des commissaires, voulant les diminuer autant qu'il est possible; mais je ne puis m'empêcher de redouter beaucoup le moment de l'explication; je crains que les sommes demandées ne soient bien au-delà de l'estimation que j'avais faite; 300 millions y compris l'Espagne, le Portugal et l'Angleterre sont le *nec plus ultra* de nos efforts; encore Dieu sait comment nous y suffirons. Je regarderais comme un fou tout ministre français qui dépasserait ce maximum; il promettrait plus qu'il ne pourrait tenir, et je ne me mettrai jamais dans ce cas là. Je veux encore espérer que nous parviendrons à arranger cette affaire. C'est une des plus difficiles qu'on ait jamais eu à régler.

Pardon mille fois, mon cher Prince, de l'excessive

longueur de cette lettre, il faut compter comme je le fais sur votre amitié pour avoir osé vous l'écrire. Veuillez agréer l'expression de mon inviolable attachement.— RICHELIEU.

"Metternich seemed extremely pleased with your letter," reported Caraman. "He took it immediately to the Emperor, and it seemed to impress them both most favorably." [59]

The business of the financial claims was settled by a formal agreement signed the 25th of April, 1818.

On April 27, Richelieu wrote to Caraman:

JE VOUS PRIE DE FAIRE savoir à M. le Prince de Metternich combien nous sommes reconnaissants de l'appui qu'il nous a donné en cette circonstance; la manière franche dont il a secondé nos efforts pour obtenir une diminution dans nos charges et la loyauté qu'il a mise à restreindre dans les plus étroites bornes les réclamations que les sujets de son gouvernement avaient à faire valoir ont été parfaitement appréciés ici et nous y avons vu un effet bien réel des dispositions qu'il nous a constamment témoignées.[60]

59. Caraman to Richelieu, March 28, 1818. *Fds. Rich.*
60. *A.E., Cor. Pol., Autriche,* 379.

# VI. The End of
# Military Occupation

The settlement of the financial claims left in
the forefront the question of the evacuation of
France by the Allies. This matter was scheduled
for discussion in the fall meeting of the sovereigns.
Metternich could not but agree with the arguments presented by Richelieu in favor of an early
withdrawal. But what would happen after that
was still a matter of concern to the Allies. Would
the government be strong enough to check the
progress of liberal opinion and the trend to the
left that showed itself in the annual elections? With
the new army, the ranks of which were to be
filled by former officers of Napoleon, was not
France exposed to the risk of a military coup?
Lord Wellington, who was in the best position to
judge the future, was not reassuring in his fore-
cast. Nevertheless, Metternich went ahead with
preparations for the meetings of the Allies. A
memorandum was sent by him to the Russian government, and he planned a meeting with Capo

d'Istria, the Chief of the Russian Foreign Office.[61]
He also kept in mind his idea of bringing together
all the royalist elements in France by a reconcilia-
tion of the King's brother and the ministry. These
were the topics he touched upon briefly in the following letter: [62]

M. DE CARAMAN vous écrit aujourd'hui, mon cher Duc,
et je m'en remets à ce qu'il vous mandera. Croyez surtout
à ce qu'il vous dira de la confiance illimitée que je vous
voue et de l'attachement que vous devez me connaître
au-delà de ce qu'il pourrait vous en dire.

La dépêche que je vous ai promise arrivera à Vincent
sous très peu de jours. Ce n'est pas chose facile que de
dire de fortes vérités à des gens qui ne veulent guère les
entendre ou qui ne les comprennent pas. N'importe, je
dis tout ce que je sens et ce que je crois utile; je me ferais
même conscience de ne pas le dire si j'avais besoin de
creuser sur moi-même pour me trouver du courage. Vous
serez, j'espère, content de moi, et j'attache à votre suffrage
la plus grande importance.

M. de Vincent pourra vous montrer ma correspondance
avec M. de Capo d'Istria si Pozzo ne vous l'a exhibée. Je
crois avoir rendu un grand service à la cause du repos
en prenant l'initiative sur le fond et sur la forme de l'une
des plus importantes circonstances du moment. J'avoue
que je n'ai pas douté que nous remporterions un succès
complet car je connais assez l'Empereur Alexandre pour
savoir quel langage il faut lui tenir. Chargé depuis 1813
jusqu'en 1815 de *la partie législative de la coalition* (par-
donnez cette phrase, je n'en trouve point d'autre), l'Empereur me voue sous ce rapport de la confiance. Fasse
le Ciel que nous finissions la grande besogne ainsi qu'elle

61. Caraman to Richelieu, April 22, 1818, *ibid.*
62. May 18, 1818. *Fds. Rich.*

est acheminée. Il y a au reste bien des gens qui ne sont pas contents de mon pédantisme et il y en a même qui ne sont pas loin de vous.[63]

Recevez les assurances de mon bien sincère attachement.—METTERNICH.

In the meantime, Richelieu himself had been most anxious to ascertain the real dispositions of Metternich regarding the future of France. Addressing himself to this point, Caraman wrote Richelieu a letter containing, in our opinion, one of the most remarkable psychological portraits ever drawn of Metternich.[64]

DEPUIS QUE JE SUIS ICI, je me suis constamment occupé, mon cher Richelieu, de chercher à connaître la véritable opinion de Metternich sur notre position actuelle et future; il me semblait que cette opinion était essentielle pour nous diriger dans un moment où nous étions encore sous l'influence si ce n'était sous la dépendance d'une coalition, dans laquelle son gouvernement avait une part très considérable. Elle me paraissait de plus en plus importante à bien connaître dans (la) mesure que je la voyais gagner du terrain et arriver à une prépondérance marquée qui existe aujourd'hui d'une manière presque absolue. Il est du moins très certain que dans ce moment-ci il exerce avec succès cette influence sur la Prusse, sur la Russie, et elle n'est pas sans action sur l'Angleterre.

Depuis un an Metternich n'est plus le même homme que vous l'avez connu, et je crois réunir tout ce que je puis dire à cet égard en vous disant que d'un homme très léger et très superficiel, il est devenu homme d'Etat. Vous

63. This might well be an allusion to Pozzo di Borgo, the Russian ambassador in Paris.

64. May 19, 1818. *Fds. Rich.*

en jugerez vous-même quand vous le verrez, et je crois
que vous serez obligé de convenir que je ne me suis pas
trompé. Metternich, aujourd'hui, a grandi sa sphère par
le travail et par la réflexion, il juge bien les hommes parce
qu'il n'a ni passions, ni préventions; il est assez fin pour
découvrir leurs faiblesses et assez adroit pour en profiter.
Ce qui lui donne surtout une très grande force, c'est qu'il
ne perd jamais son sang-froid et que l'amour propre blessé
n'a presque pas d'action sur lui. Les obstacles ne l'irritent
pas et rien n'est plus facile pour lui de prendre une autre
route s'il ne croit pas arriver par celle qu'il a choisie. Il
est surtout habile à reconnaître les fausses routes où les
autres peuvent s'engager; il les y laisse aller avec patience
et leur prépare les moyens d'en sortir, ce qui lui assure
toujours un très grand avantage. C'est ainsi qu'il s'est
emparé de la Prusse et de presque tous les états de l'Allemagne dont il est aujourd'hui presque l'arbitre et au milieu
de qui il joue toujours le premier rôle; et sans chercher
à dominer, il domine réellement et devient une espèce de
centre où presque tout vient aboutir.

Metternich ne se laisse pas décourager par l'embarras
des détails, il cherche à voir le but et si on l'en écarte
il y revient toujours et ne perd pas sa direction. Il est
inventif pour créer un nouveau moyen si quelques uns
lui échappent et sans s'agiter beaucoup il arrive, parce
qu'il *veut* toujours et cette action continuelle qu'il soutient
sans distraction depuis qu'il a connu la force de sa position,
et l'étendue de ses moyens en a fait un autre homme.
Les vanités et les futilités de ce monde agissent peu sur
lui et de là résulte la nouvelle existence qu'il s'est donné
et que je crois qu'il n'est pas tenté d'abandonner.

Si je ne me trompe, vous le verrez à la réunion soutenir
ce rôle et diriger à peu près tout ce qui s'y fera. Il s'est
déjà donné l'avantage de prendre l'initiative, d'en préparer
le travail et d'en faire adopter la division et la marche.
C'est un avantage immense que M. de Capo d'Istria

pourrait seul lui disputer, mais je suis persuadé qu'à Carlsbad il disposera de son assentiment. Je tâcherai du moins de juger jusques à quel point il l'aura soumis à ses idées. Ce que je puis bien assurer, c'est que M. de Capo d'Istria ne le soumettra pas aux siennes, c'est du moins ce qui me paraît très difficile et jusqu'à ce moment je ne l'ai pas encore vu se laisser conduire par une aucune influence.

Pour revenir à la conclusion naturelle de ce que je viens de dire, mon cher Richelieu, ayant reconnu ces nouvelles dispositions dans Metternich, il était facile de conclure que je devais mettre le plus grand intérêt à tâcher de découvrir le véritable point de vue sous lequel il envisageait les affaires de France, cela seul pouvait me faire présumer la ligne qu'il tiendrait dans la discussion. Je me suis donc appliqué à rechercher les occasions de causer, et j'ai été assez heureux pour l'engager lui-même à m'y entraîner. Je lui ai montré assez de concordance dans nos principes pour encourager sa confiance et je crois bien que je suis la personne avec laquelle il aime le plus à causer, parce que j'ai tâché de le bien convaincre que je ne cherchais qu'à *causer* et nullement à traiter les affaires. Actuellement je dois vous dire sans réserve ce que je crois être la pensée de Metternich; ceci pour vous seul, comme vous devez le croire.

Metternich a toute confiance dans le gouvernement du Roi. Il le croit solidement établi, il le croit aimé autant qu'on peut aimer en France, où le besoin du repos est le premier besoin et où l'on aime ou craint ce qui l'assure ou ce qui le menace.

Metternich est convaincu que le mouvement général qui a eu lieu en Europe depuis trente ans a amené de nouvelles idées, de nouvelles habitudes et que les gouvernements représentatifs sont devenus un besoin, une nécessité et que tôt ou tard il faut que chacun y arrive; il calcule donc chez nous ce qui est favorable à cet ordre

de choses, comme le seul moyen de consolider le gouvernement royal. Il sent lui-même tous les avantages qu'un
ministère habile peut tirer de ces formes représentatives,
et peut-être a-t-il assez de confiance dans ses moyens pour
regretter de ne pas se trouver à la tête d'un pareil gouvernement. Il sent en même temps que la seule manière
d'en tirer parti est de le guider par un ministère fort et
adroit et il reconnaît qu'un ministère faible ne peut
conduire qu'à l'anarchie.

C'est sous ce rapport qu'il étudie tout ce qui se fait
en France et c'est pour que rien ne lui échappe qu'il
consacre beaucoup de temps à lire dans le plus grand
détail tout ce qui s'imprime chez nous.

Il juge donc comme avantageux tout ce qui marque de
l'ensemble dans le ministère et tout ce qui annonce son
influence dans les Chambres.

Il blâme ce qui montre de l'indécision ou ce qui peut
faire soupçonner de l'imprévoyance, mais en général il
trouve que nous marchons et ce moment-ci n'est pas celui
qui l'inquiète.

Mais il n'en est pas de même lorsqu'il s'arrête à la
chance d'un changement de règne, c'est alors que toutes
ses inquiétudes se manifestent. Il pense avec raison que
tout ce qui attaquerait la ligne directe de succession nous
ferait rentrer dans tous les hazards des révolutions. La
ténacité de Monsieur et son système invariable d'opposition indirecte lui fait redouter le moment où il faudra
opter entre un souverain qui ne pourra gouverner que par
un autre ministère, ou un ministère qui, pour se maintenir à ce qui est et pour se maintenir lui-même sera
obligé de se donner un nouveau chef.

Metternich a toute confiance en vous, il sait apprécier
comme elles le méritent votre loyauté, votre fidélité et
votre désintéressement, mais il n'a cette confiance qu'en
vous *seul*. Dans tout le reste du ministère, il voit des
serviteurs fidèles *au Roi*, mais qui connaissant le danger

qui les attend et n'étant pas disposés à renoncer à un
pouvoir qui leur échappera sûrement, doivent avoir prévu
cette circonstance plus ou moins rapprochée et ne peuvent
conjurer cet orage qu'en se donnant la force de faire des
conditions et s'assurant les moyens de les faire accepter
ou ceux de remplacer celui qui les refuserait.

Il est donc convaincu: 1°) que Monsieur ne reviendra
jamais d'assez bonne foi pour que l'on puisse compter sur
lui, 2°) que la majorité du ministère se prépare à tout
évènement et est prête à porter l'autorité en d'autres
mains, si le successeur légitime se refuse à marcher dans
la ligne actuelle, et surtout s'il veut les éloigner du pouvoir.
Il est persuadé qu'en dehors et au dedans vos collègues
se ménagent des garanties et sans leur en faire un tort, il
en redoute les conséquences.

En dernier résultat, il croit au gouvernement du Roi
tant que nous aurons le bonheur de le conserver, mais il
ne croit plus à rien si nous avions le malheur de le perdre.

Toute sa sollicitude porte donc sur les dispositions de
Monsieur et c'est par ce motif qu'il voudrait donner à
l'opinion de l'Empereur, qu'il peut faire parvenir jusqu'à
lui, toute la gravité et toute la force qui peut ajouter à
son effet. Il a même une pensée qu'il m'a laissé entrevoir
et qui l'occupe beaucoup; ce serait d'amener les choses au
point de faire considérer dans les conférences futures la
succession au trône comme liée intimement avec le maintien de l'ordre actuel des choses en France et l'ordre
actuel existant en France comme étant le gage du repos
de l'Europe. Il pense donc qu'il est du devoir et du droit
des Puissances alliées de le garantir autant que possible
et d'en exiger le maintien de celui qui peut être appelé
à l'attaquer ou à le conserver par l'ordre de succession.
Metternich voudrait donc arriver à trouver le moyen
d'amener Monsieur à Aix-la-Chapelle pour lui faire
connaître l'opinion unanime des Alliés qui l'autoriseraient
à les regarder comme ses amis les plus prononcés et ses

appuis les plus inébranlables s'il suit fidèlement les traces
du Roi, lui offrant alors tous les moyens de force ou
d'influence dont ils peuvent disposer, sans lui dissimuler
qu'ils se croient obligés de même de donner tout leur
appui au maintien de l'ordre établi parce qu'ils le regardent
comme garant de la tranquillité de l'Europe. Vous sentez,
mon cher Richelieu, que je me suis bien donné garde de
me prononcer sur une matière aussi délicate, mais j'ai cru
devoir vous en prévenir parce que je suis sûr qu'elle se
reproduira quand vous vous rencontrerez. Je recevrai
d'ailleurs toutes ses idées sur cette importante question et
nous en reparlerons avant que vous soyez dans le cas de
le retrouver.

Mais que dans ces différentes idées, Metternich ait tort
ou raison, il est très certain que toutes indiquent opinion
favorable de l'ordre actuel, inquiétude sur tout ce qui
peut l'altérer, et occupation constante de tout ce qui peut
le consolider et le soutenir. Ce n'est pas sur une conversation que j'en juge ainsi, c'est d'après cent conversations et
tout le bavardage indiscret qui échappe pendant les heures
entières de recherche sur tout ce qui intéresse. Je ne l'ai
pas perdu de vue un seul instant et je ne crois pas qu'il
soit possible de cacher si longtemps ce qui serait contraire
à tout ce qu'il m'a dit. Ainsi bien sincèrement je suis
convaincu que ce que je vous mande est le fond de sa
pensée, et si je me trompe, je désespère de jamais connaître
un homme. Le sentiment de mon devoir, la gravité des
intérêts qui me sont confiés, les conséquences de la
moindre erreur, tout me tenait en garde contre toute influence ou toute faiblesse, et je vous donne ma parole que
je n'ai pas été un moment sans soumettre à l'épreuve la
plus sévère tout ce que je recueillais avant de me décider
à croire ou à ne pas croire. . .

Je vous parle comme à ma conscience, mon cher Richelieu, et vous en garderez le secret quoique je ne croye
pas dire du mal de Metternich, au contraire; cependant

il est toujours prudent que rien ne perce sur ces sortes d'observations; elles sont toutes de confiance et que ferais-je si j'étais privé de ce bon et honorable moyen.

M. Moreau vous portera cette lettre, mon cher Richelieu. Il va passer quelques semaines en France pour voir s'il ne pourrait pas trouver moyen de s'y rattacher, il espère que vous lui permettrez de réclamer votre appui. Il le mérite sous tous les égards.

Adieu, mon cher Richelieu, tout à vous.—CARAMAN.

Having read this letter, it was apparently with a good deal of sincerity that Richelieu answered Metternich's last message: [65]

J'AI REÇU AVEC BIEN du plaisir, mon cher Prince, la lettre que vous avez eu la bonté de m'écrire le 18 mai. Je vous remercie mille fois de tout ce que vous voulez bien me dire d'aimable. Je mérite votre confiance et votre amitié par celle que vous m'avez inspirée depuis longtemps et à laquelle vous acquérez chaque jour de nouveaux droits.

J'ajoute foi pleine et entière à tout ce que me dit Caraman; je n'ai que des raisons d'être persuadé de votre bienveillance pour nous. Vous nous en avez donné bien des preuves, et je suis sûr que vous nous en donnerez encore. Nous avons eu bien des torts, nous avons fait pénitence publique. Maintenant nous demanderons à être admis au giron de l'Eglise. Vous ne nous refuserez pas, parce que nous nous sommes amendés, qu'il ne faut pas repousser le pécheur repentant, et qu'en dernière analyse, vous pouvez aussi bien nous aider à ne pas retomber dans nos erreurs passées, tout en nous admettant dans votre communion, que si nous en étions éxclus. Je n'ai donc pas d'inquiétude: la France dès qu'elle est rendue à elle-même

65. June 3, 1818, *Fds. Rich.*

et qu'elle n'est plus sous la surveillance armée de l'Europe, ne peut pas être un corps isolé; il faut qu'elle se rattache à quelque chose pour ne pas s'agiter dans son orbite, à son détriment et à celui des autres; j'espère que nos voeux seront exaucés, et que cette grande époque sera le complément de tous nos efforts pour le bien de l'ordre social et de son raffermissement.

Caraman vous fera part de tout ce que je lui mande fort en détail. Je conçois que votre opinion à tous dût être fort vacillante sur notre situation d'après tout ce qu'on écrit d'ici. Les mémoires pleuvent, et tout le monde veut se mêler d'affaires qu'il ne peut connaître que très imparfaitement. L'Empereur Alexandre doit en avoir reçu à Varsovie, et il n'est pas bien étonnant qu'il en ait été un peu ébranlé. La marche des évènements, la confiance renaissante de toutes parts, la plus parfaite tranquillité d'un bout de la France à l'autre, nos emprunts remplis aussitôt qu'ils sont ouverts, voilà la meilleure réponse que nous pouvons faire à ces pronostics funestes dont on ne cesse de nous effrayer. Notre position est difficile, sans doute; l'établissement seul d'une forme de gouvernement toute nouvelle présente des obstacles et de grandes difficultés mais elles sont évidemment moindres que celles que nous avons surmontées, et le passé nous donne quelque droit de réclamer la confiance pour l'avenir. Veuillez nous aider, comme vous l'avez fait jusqu'à ce jour, débarrassez-nous du poids de l'armée d'occupation dont la présence est infiniment plus nuisible qu'utile à la tranquillité publique; placez-nous dans une situation dont notre vanité—car nous sommes très vains—puisse être satisfaite, et j'espère que non seulement nous ne troublerons plus la tranquillité de l'Europe, mais nous contribuerons au contraire à la consolider. Je vous parle avec une grande franchise, mon Prince, mais vous m'en avez donné le droit; et d'ailleurs je suis sûr que nos intentions sont les mêmes, et n'ont pour but que le maintien de la

tranquillité et le raffermissement de l'ordre social en
Europe.

Agréez, mon Prince, l'assurance de mon inviolable
attachement.—RICHELIEU.

This, to our knowledge, was the last letter that
was to pass directly between Richelieu and Metternich before they met at Aix-la-Chapelle in late
September. Metternich seems to have put real trust
in Richelieu's character if not in his statesmanship,
but the reverse was not completely true, as we
may surmise from two letters from Richelieu to
Caraman that may be dated from the last half of
June.

To understand these letters it will be necessary
to look back upon the rather strange circumstances
which gave birth to this cloud of suspicion. A
year before, the former minister of Napoleon's
police, Savary, had landed in Trieste. He had fled
France to avoid arrest, and on Metternich's orders
had been taken in custody and brought to Gratz
where he was allowed the freedom of the city.
Soon he showed a restless disposition, and Metternich, fearing some act of desperation, had with
the consent of the French government given him
a passport for Smyrna where he wanted to establish himself. Before leaving, Savary expressed the
wish to see Metternich and reveal to him some
secret convictions. Metternich had him brought
secretly to Vienna and interviewed him. The substance of these talks was summarized for Vincent

in two dispatches dated May 25 and June 10, 1818.[66]

According to Savary, the French government had gone so far to placate the leftist elements that now the liberal party was strong enough to engineer a change of regime. Richelieu was above any suspicion, but not so Decazes and the other ministers. On Louis XVIII's death, they were ready to do anything to avoid the accession of Monsieur, even to shift their loyalty to Napoleon's son. Savary's story was colored with a great wealth of gossip on various personages. Fanciful as this story was, it, nevertheless, seems to have made an impression on Metternich's mind, and Caraman reported these doubts to Richelieu in a secret letter which he did not trust to the ordinary mail but sent to Paris by his first secretary, Artaud, who had just been recalled.

Richelieu was greatly disturbed by this news. He was anxious to dispel Metternich's new doubts and at the same time conceived himself some misgivings about the Austrian's sincerity. He, therefore, sent two letters to Caraman, the first of which was intended for Metternich, the second *"très secrète"* for Caraman alone.

In the first, he tried to counter the effect of Savary's talks:

. . . LES SOI-DISANTES RÉVÉLATIONS que Savary doit avoir fait au Prince de Metternich sont le résultat

66. *H.H.S.A., Frankreich, Weisungen.*

fort amplifié des espérances que la conduite de Monsieur inspire à tous les ennemis du gouvernement royal. En voyant qu'une grande partie des personnages influents seraient éloignés et persécutés par Monsieur s'il parvenait au trône, il leur suppose l'idée de l'en éloigner. Je répondrais bien sur ma tête que les personnes du ministère qu'il a citées sont incapables d'avoir eu la moindre pensée de ce dont on les accuse. Le Maréchal Gouvion, par exemple, est un homme d'honneur s'il en fut jamais, et quand il ne serait pas honnête homme il serait trop paresseux pour conspirer. M. de Cazes, quoi-qu'on en dise, est incapable de pareilles machinations, et rien n'est plus absurde que de prétendre que pas un officier ou un soldat n'arrive sans avoir la cocarde tricolore cachée dans quelque partie de ses vêtements. Il en est de même du raisonnement qu'il fait sur le dévouement général au petit Roi de Rome; excepté le parti Talleyrand qui favoriserait le prince d'Orange, on ne sait de quelle tabagie des faubourgs une telle politique peut être sortie. Il n'en est pas moins vrai que la haine et l'éloignement que Monsieur marque à tout ce qui n'appartient pas au parti exclusif, la crainte qu'inspire son arrivée au suprême pouvoir donne avec raison beaucoup d'espoir aux mal-veillants comme beaucoup de crainte aux serviteurs fidèles. Ce n'est pas d'hier que je regarde cette circonstance comme la plus difficile de notre position; il est certain qu'il en peut résulter des maux incalculables. Les royalistes de toutes les nuances ne sont pas trop forts pour résister aux perturbateurs et aux idéologues. S'ils se séparent, si une portion suit la bannière de Monsieur, une autre celle du Roi, ils courent le risque d'être vaincus en détail par le parti contraire.

Le jeu de Savary est clair: tenter de faire douter Metternich de la stabilité du régime, et ainsi l'incliner à maintenir l'occupation, ce qui devra amener les troubles qu'il souhaite. Calculant que si le Prince de Metternich

est convaincu il pourra bien mettre en avant le petit bon-
homme, s'il n'est qu'ébranlé il sera bien tenté de prolonger
contre la France les mesures de surveillance et dans les
deux cas il aura servi son parti.[67]

The secret letter which came with the former
must be quoted in full because it sheds new light
on Richelieu's psychology: [68]

JE NE PUIS ME REFUSER à vous faire part, mon cher
Caraman, des soupçons que je ne peux m'empêcher de
concevoir de toute cette histoire de Savary. Je souhaite
de tout mon coeur qu'ils ne soient pas fondés, mais, en
vérité, je trouve, d'un côté, ces révélations si extraordi-
naires, de l'autre tant de coïncidences avec diverses
choses dont je suis informé qu'il m'est impossible malgré
moi de ne pas me livrer à une certaine défiance. Vous
croyez Metternich de bonne foi, d'après cela et ce que
m'a dit M. Artaud je devrais et le voudrais croire également, mais si par hasard il ne l'était pas, que pourrait-il
avoir inventé de mieux et de plus à propos pour appuyer
l'opinion qu'il faut tenir la France sous une surveillance
active, que cette conversation avec Savary et tout le plan
que celui-ci est censé lui avoir découvert. Il est évident
que l'Angleterre et l'Autriche voient notre libération avec
répugnance et n'y consentent que parce qu'elles sentent
l'impossibilité de l'empêcher. J'ai lu le memorandum de
lord Castlereagh, envoyé à lord Cathcart, destiné à être
présenté à la Russie. Il est impossible de rien voir de plus
malveillant pour la France, de plus dénigrant pour son
gouvernement, de plus inquiet pour l'avenir. Les propositions du Prince de Metternich envoyées à Varsovie
contiennent bien positivement l'idée du maintien de la
quadruple-alliance dans son état primitif. Hors (= or)

67. June, 1818, *Fds. Rich.*
68. June, 1818, *ibid.*

certes alors la France n'en faisait pas partie puisque c'était contre qu'elle était dirigée. Si Metternich vous a dit que le Roi y serait admis en 5ème, ce dont il n'a parlé à aucune cour, c'est que peut-être il a cru ne pouvoir l'emporter auprès de l'Empereur de Russie et alors la conversation de Savary et ses confidences viendraient fort à propos pour déterminer l'Empereur, et celle qu'on nous en aurait faite achèverait d'ôter tout soupçon.

Tenez, mon cher ami, tout ceci n'est pas clair. Pourquoi dans vos conversations, ne vous parle-t-il jamais de l'évasion de Buonaparte, qui est notre véritable danger? Pourquoi se plaint-on que notre ministre à Francfort n'appuie pas la demande de l'éloignement des réfugiés, tandis qu'il est constant que toute protection leur est accordée par M. de Wessenberg, et qu'il serait aussi trop ridicule de croire que les Ministres des quatre puissances eussent besoin de l'appui du Ministre de France pour faire sortir des environs de Francfort quelques individus français? Je suis loin, je ne vois pas ce que vous voyez, et peut-être me trompè-je; je le souhaite de tout mon coeur. Cependant le passé est une donnée pour juger l'avenir; il est rare que les hommes changent à 45 ans; cela arrive à la vérité, mais est-il bien prudent d'y croire? Jusqu'à ces derniers temps, Metternich passait pour avoir peu de franchise, pour être assez indifférent sur les moyens d'arriver à son but; hors (= or) son but me parait être de nous exclure, sinon de la grande alliance, du moins de toutes les conditions de réciprocité qui pourraient nous être avantageuses. La découverte faite par Savary sert merveilleusement ces projets, et Dieu ne plaise que je croie à des arrières-pensées pour le petit,[69] mais ne seroient-elles pas justifiées par cette impossibilité reconnue pour le gouvernement royal de se soutenir, ne faudrait-il pas alors que la puissance législative de la coalition—

69. Napoleon's son.

comme Metternich s'intitule dans la lettre qu'il m'écrit—
s'occupât de sauver l'Europe de la tourmente révolutionnaire, en donnant à la France la dynastie qu'on assure
qu'elle désire et qui seule peut régner dans l'esprit de la
majorité de la nation? Tenez, mon cher Caraman, il est
bien triste de voir le père dans les mains de l'Angleterre,
et le fils dans celles de l'Autriche. Du reste, je ne puis rien
vous dire de plus positif pour appuyer, non mes présomp-
tions, mais mes craintes. Observez de votre côté avec la
plus grande attention, j'observerai du mien, et nous nous
communiquerons ce que nous aurons découvert. Quand
on a fait ce qu'on a cru devoir faire, il faut laisser quelque
chose à la fortune, dans des circonstances surtout où il est
si difficile de tout prévoir et de tout prévenir. . . Le
fait est qu'il y a du mouvement parmi les gens qui ne
nous veulent pas de bien et ou je me trompe fort ou cela
se rattache au projet de Ste-Hélène. Ma pensée se porte
toujours de ce côté, et malheureusement je n'ai aucun
moyen pour me procurer quelque sécurité; c'est encore
une chose qu'il faut abandonner à la fortune.

Adieu, mon cher Caraman, tout à vous pour la vie.—
RICHELIEU.

Richelieu's suspicions were doubtless exaggerated. True as it was that Metternich wished a re-
newal of the Four Power Alliance against France
as a precaution against the withdrawal of the occupation forces, there is no evidence whatever that
his fear of Savary's "revelations" was faked. In any
case, when Caraman read Richelieu's explanations,
Metternich declared himself completely satisfied.
Was this show of confidence completely genuine?
This may well be questioned, but there is little
doubt that he was sincere in his final summation

of Richelieu's assets and liabilities in a letter to
Vincent (August 23, 1818) a few weeks before
meeting him in Aachen: [70]

IL A EXISTÉ DE TOUT TEMPS des rapports de confiance et d'amitié entre M. le duc de Richelieu et moi.
Ce ministre attaché par tous les liens de la reconnaissance
et par une longue habitude aux intérêts de la Russie a
cependant un penchant très prononcé pour l'Autriche. Une
grande identité de principes et les souvenirs de sa jeunesse
le placent ainsi. Nous le regardons au reste, et avant tout,
comme éminemment français, et s'il avait les qualités
nécessaires pour tenir le gouvernail d'une administration
aussi forte que l'est celle dont il se trouve chargé, nous ne
connaitrions point, dans l'ensemble de la position actuelle
des choses, de meilleur Premier ministre en France que
lui. Je crois vous peindre en deux mots l'attitude dans
laquelle nous sommes placés vis-à-vis de M. de Richelieu
en vous disant que nous vouons précisément autant de
confiance à son caractère que nous en avons peu dans ses
talents ministériels. . .

How the two men got along when they finally
met in Aachen we do not know, and our limited
purpose precludes any attempt to give even a
summary account of the Congress. Let it only be
said that the results satisfied Richelieu. France was
free at last, and the Allies had recognized her right
to take a seat in future meetings as an equal part-
ner. After the Congress, Richelieu had no opportunity to resume his familiar intercourse with Metternich. A few weeks later he was obliged to

70. *H.H.S.A., Frankreich, Weisungen,* 335.

resign. What happened was that he had resolved to steer a new course, trying to reconcile all the rightist elements and make a decided stand against the liberals. This was in full accord with Metternich's views. But the King's favorite, Decazes, was not prepared to go along with him in this attempt, and Richelieu, feeling his task had been accomplished with France's liberation, withdrew from the political scene.

# PART II

# TRANSITION

# A LETTER OF INTRODUCTION

Relieved of the burden of premiership, Richelieu took to the road and during the greater part of 1819 indulged in travels through southern France, northern Italy, and Switzerland. He remained one of the most respected and influential personalities in France, and his natural generosity made him more often than he would have wished the target of petitioners.

No ordinary one was Marshal Marmont. Whatever may be said about his conduct in April, 1814, when his defection sealed the fate of Napoleon, it must be acknowledged that he was a brilliant soldier and a versatile mind. Richelieu held him in such high regard that when he resigned he put forward his name to succeed him as premier. Marmont was a great spender and had suffered a grievous loss of income at the Restoration when he had been deprived of the dotations given him by Napoleon in Dalmatia-Illyria, a province he had successfully governed for five years. The Austrian Emperor, who had good reason to be grateful, had agreed to compensate him in some manner. This was the matter which brought Marmont to Vienna in September, 1819 with the following letter from Richelieu. It may be seen that the good patriot, Richelieu, took this opportunity to plead once more for his country, which at the time, was not faring too well, even in Metternich's opinion.[71]

LA BIENVEILLANCE DONT ON CROIT que vous m'honorez, mon cher Prince, est la cause de mes fréquentes importunités. J'espère qu'on ne se trompe pas absolument, attachant comme je le fais le plus grand prix à votre amitié. Le maréchal Marmont se décide à aller à Vienne et me demande une lettre d'introduction auprès de vous. Sans doute vous vous rappelerez, mon Prince, ce que vous m'avez fait l'honneur de me dire et de m'écrire au sujet de sa dotation en Illyrie. Je n'ai donc rien à ajouter à ce que j'ai été dans le cas de vous demander d'office sinon que je serais enchanté que ma recommandation particulière pût accélérer une décision en faveur du maréchal. Il est de mon devoir d'ajouter que quoi qu'en aient dit certains pamphlets, je regarde le maréchal comme un des meilleurs serviteurs que le Roi ait, et je répondrais de sa fidélité corps pour corps. S.M. en juge de même et je suis persuadé qu'elle recommandera son affaire directement à S.M. l'Empereur. Moi, je la mets avec confiance entre vos mains et je vous répète que j'attacherai le plus grand prix à ce que vous voulussiez bien traiter le maréchal avec quelque faveur. Je sais que comptant sur les espérances que j'étais autorisé à lui donner, il avait arrangé ses affaires en conséquence et qu'il se trouve maintenant dans un assez grand embarras.

71. See my previous publication "Metternich et Decazes," in *Etudes d'Histoire Moderne et contemporaine*, V, 85 sqq.

Je viens de passer un mois à Paris après une assez longue absence. J'ai trouvé les choses en meilleur état que je ne le croyais. L'exaspération des partis n'est pas aussi grande dans le fait que la lecture des journaux pourrait le faire croire. La lassitude des troubles et le besoin du repos est toujours le caractère distinctif du peuple. Il semble qu'il se dégoûte un peu même à Paris de l'exaspération des gazettes et des pamphlets. Si avec cela, les élections ne sont pas trop mauvaises comme on s'en flatte, on peut espérer une session plus tranquille que la précédente. Je reviendrai pour y assister. A présent, je vais prendre les eaux de Spa et me promener un peu sur les bords du Rhin. Je suis curieux de voir par moi-même ce qu'il faut penser de l'esprit de ces contrées dont il me semble que vous avez eu à vous occuper assez sérieusement à Carlsbad. Si vous étiez au Johannisberg, j'espère que vous me permettriez de vous y faire une visite. Ne le pouvant pas cet automne, je me propose de m'en dédommager à Vienne le printemps prochain. Vous aurez approuvé, j'espère, les motifs qui m'ont empêché de me rapprocher de vous en Italie. Caraman s'était chargé de vous en parler.

Conservez-moi, mon Prince, un peu de souvenir et d'amitié et croyez à l'inviolable attachement et à la haute considération que je vous ai voués.—RICHELIEU.[72]

72. August 25 or 29, 1819. *H.H.S.A., Frankreich, Varia,* 92.

# PART III

# THE DUBIOUS PARTNER

RICHELIEU'S SECOND ADMINISTRATION

March 1820–December 1821

# I. Richelieu Returns to Power

When the first Richelieu cabinet disintegrated at the end of 1818, the idea of the King and of his favorite, Decazes, was to continue the fight against the ultra-royalist party and to gain the support of the liberals. But this policy did not work. The elements hostile to the Bourbons were not to be reconciled, and the course followed by the government gave them increasing strength in the Chambers and the administration. By the end of 1819, it became obvious to Decazes that the salvation of the monarchy required a shift to the right, in other words, the adoption of Richelieu's views of the preceding year. But some of his colleagues did not agree with him, among others, the President of the Council, Dessolles, and the Minister of War, Gouvion Saint-Cyr. Richelieu was then called upon to form a new government. As he stubbornly refused, Decazes himself was forced to take the premiership (November, 1819). His first move was to reform the electoral law and to achieve this he entered in parleys with some of his former enemies of the right.

It was in the midst of this difficult maneuver that he was suddenly felled by an unexpected accident, the murder of the Duke de Berry, nephew of the King (February 13, 1820). In the ensuing outcry, Decazes had to resign and Richelieu appeared as the only man who could reconcile all shades of royalists to make a strong stand against the liberals. He reluctantly yielded to the pressure of the royal family and of his friends and took the premiership, keeping all the ministers of the preceding administration, among whom Baron Pasquier, who had the portfolio of Foreign Affairs.

Metternich's opinion of this event is expressed in a letter of March 1 to Prince Paul Esterhazy, Austria's ambassador in London:

. . . JE NE ME PERMETS point de porter un jugement sur la composition du nouveau ministère, il serait prématuré mais d'après la connaissance exacte que j'ai des individus qui viennent d'être appelés, je serais assez porté de croire que cette nouvelle formation pourrait bien n'être que transitoire. Personne plus que moi ne rend justice au caractère noble et désintéressé de M. le duc de Richelieu, à son austère probité, à son amour pour le bien, enfin à ses qualités morales qui lui ont acquis des droits à l'estime générale dont il jouit. Mais nous ne pouvons nous dissimuler que c'est sous son ministère qu'ont pris naissance les maux dont nous souffrons aujourd'hui et qu'il est appelé lui-même à combattre; peut-être l'expérience du passé l'aidera-t-elle à éviter les écueils contre lesquels il a échoué dans sa première administration; je le désire vivement et je pense que dans tous les cas, les cabinets étrangers, dans l'intérêt de la France, dans le leur propre et surtout dans celui du maintien de la paix et du repos intérieur, doivent l'entourer d'une grande confiance sans se permettre toutefois aucune ingérance directe dans ses déterminations. C'est dans ces rapports de confiance et de bienveillance qui n'ont jamais cessé d'exister entre M. de Richelieu et moi que je mettrai tous mes soins à me maintenir. . .

At the same time, Metternich hastened to resume his personal relationship with Richelieu. The same mail of March 2nd contained a private letter for Richelieu, which we have not retrieved, and two letters for the ambassador, Vincent. The first, intended for Richelieu's eyes, contained pompous expressions of confidence; the second, confidential and more sincere, expressed doubts about Richelieu's chances of success.[73]

To this overture, Richelieu answered with the following message:

Le baron de Vincent m'a remis, mon cher Prince, la lettre que vous m'avez fait l'honneur de m'écrire. Il a eu la bonté de me lire également la dépêche que vous lui avez adressée par le même courrier. J'ai retrouvé dans l'une et l'autre des sentiments auxquels je suis accoutumé depuis longtemps mais qui ne m'en sont pas moins précieux. J'ai besoin dans la tâche qui m'a été imposée d'être soutenu par tous les amis de l'ordre social et de la civilisation car c'est l'un et l'autre qui sont attaqués. Je ne me dissimule pas les difficultés immenses que j'ai à vaincre, mais puisque une fois j'ai été lancé dans cette carrière

73. *H.H.S.A., Frankreich, Weisungen,* 343.

assurément sans l'avoir désirée ni recherchée, il faut la parcourir avec courage et dut-on succomber ce ne sera pas encore absolument sans honneur car il y aura eu quelque mérite à se dévouer.

J'ai dit avec franchise au baron de Vincent quelle espèce d'assistance nous avions à désirer de votre part; c'est de vouloir bien vous tenir vis-à-vis de nous dans la mesure où vous avez été jusqu'à présent. Notre susceptibilité est si grande que nous nous cabrerions à la moindre apparence d'une influence étrangère, à plus forte raison la menace produirait-elle un effet directement opposé à celui qu'on se proposerait. Nos factieux buonapartistes dont les crédules espérances ressemblent beaucoup à celles des émigrés de première origine ont également besoin de n'être, je ne dis pas encouragés, ils le seront jamais, mais entretenus dans leurs coupables illusions par des choses qui fort indifférentes en apparence pourraient, par le sens qu'ils y attacheraient, nourrir leurs projets chimériques. Nous savons que dans le moment surtout ils se croient fondés à espérer plus que jamais et le petit mot du cardinal Fesch que le comte Walmoden [74] m'a communiqué de votre part m'en fournit une nouvelle preuve. J'espère que vous voudrez bien comme par le passé me communiquer ce qui viendra à votre connaissance dans ce genre. Je vous promets d'ores en avant qu'il n'y aura ni imprudence ni indiscrétion de commises.[75] Si j'osais, mon cher Prince, vous prier de me mettre personnellement aux pieds de S.M. l'Empereur, je vous en aurais une extrême obligation. Ne vous effrayez pas trop, je vous prie, des débats de notre Chambre, tout épouvantables qu'ils sont. Je veux espérer que c'est le désespoir d'hommes qui s'étaient flattés

74. Count Louis Walmoden, Hanoverian and general in the Austrian army, had been sent by the Emperor Francis to bring his condolences to Louis XVIII upon the death of the Duke de Berry.

75. Metternich had complained that the secret policy information he provided to Decazes had often been leaked by his underlings to the people concerned.

d'envahir le pouvoir sans opposition et qui se le voyent arraché. Je ne me dissimule pas cependant les inconvénients de ces scandaleux débats, mais c'est un mal qui n'a pas de remède et qu'il faut braver jusqu'à ce que l'on soit parvenu à améliorer cette chambre et à y avoir une majorité suffisante pour en imposer aux factieux. En attendant, le rôle des ministres du Roi est bien pénible au milieu de ces énergumènes et M. Pasquier surtout montre un dévouement et un courage égal à ses talents.

Je ne vous parle pas de vos affaires d'Allemagne. J'ai bien assez à penser aux nôtres. Tout ce que je me permettrai de vous dire, c'est que si vous parvenez à y ramener le calme dans les esprits et à raffermir l'ordre public, vous nous rendrez un éminent service, car aujourd'hui nous sommes tous solidaires et par exemple les troubles d'Espagne [76] nous font un mal que je ne puis vous exprimer. L'exemple d'une insurrection militaire et de ses succès est bien mauvais ici et cet incident complique encore notre position. Soyez assuré, mon cher Prince, qu'aucun effort ne me coûtera pour mériter l'estime des honnêtes gens de tous les pays. Il est cependant des hommes dont le suffrage est pour moi d'un plus grand prix et vous êtes bien sûrement à la tête. Je vous demande confiance et amitié et je tâcherai de m'en rendre digne par une confiance égale comme par mon ancien et fidèle attachement et ma haute considération.—RICHELIEU. [77]

This letter was followed closely by another one which took up the same general themes: [78]

JE NE VEUX PAS LAISSER partir Walmoden [79] sans vous dire un petit mot, mon cher Prince, quoiqu'il vous

---

76. January, 1820, had witnessed the first outbreak of revolutionary movement in Cadiz.
77. March 16, 1820, *Fds. Rich.*
78. April 8, 1820, *ibid.*
79. *Supra,* no. 74.

en dise tout autant que je pourrai le faire moi-même. Je
lui ai raconté tout ce que je savais de notre état intérieur.
Il a vu, observé, écouté: il n'y a rien de secret ici; nous
n'avons jamais été très forts pour la discrétion et dans ce
gouvernement de parlage, chacun prend l'habitude de
dire ce qu'il pense et qu'il désire et ce qu'il projette. Tout
est donc en dehors et le voyageur en huit jours est au
fait du pays, connaît les partis, leurs craintes et leurs
espérances comme s'il était resté un an. Vous saurez donc
par Walmoden où nous en sommes et sans nous trouver
dans un état complètement rassurant, je ne crois pas qu'il
parte aussi inquiet qu'il était arrivé, et pourtant, depuis
qu'il est ici, nous avons eu la révolution d'Espagne,
l'évènement le plus fatal qui pût nous arriver comme à
toute l'Europe et dont le contrecoup s'est fait rudement
sentir ici. Il y aurait bien des choses à dire sur cette
révolution démocratique faite par des soldats, mais il n'y
a probablement rien à faire, du moins pour le moment;
nous sommes condamnés à regarder ce volcan vomir ses
flammes sans pouvoir songer à l'éteindre sous peine de
voir l'explosion devenir cent fois plus dangereuse. Les
journaux qui nous arrivent de ce pays sont bien plus
frénétiques encore que n'étaient les nôtres avant le re-
nouvellement de la censure et invitent les autres armées,
notamment la française, à imiter l'exemple de celle d'Espagne. Vous êtes heureux, mon cher Prince, d'être physi-
quement et moralement bien éloigné de tous ces désordres,
mais je vous connais trop pour n'être pas bien sûr que
vous êtes bien occupé des suites qu'ils peuvent avoir pour
le reste du monde. Je serais heureux que vous voulussiez
me communiquer vos pensées sur ce sujet quand elles
seront fixées. Pour le moment nous ne pouvons qu'observer
attentivement la marche des évènements et il est impossible de les prévoir.

Tout ce que je puis vous dire sur nous c'est que nous
ne dévierons pas de la marche ferme et monarchique que

nous avons prise. Ni les cris ni les menaces de nos adversaires ne nous effraieront. Nous défendons l'ordre social
et nous périrons plutôt que de ne pas soutenir jusqu'à la
fin une si belle cause. C'est bien celle de l'humanité et la
pensée d'une noble vue que nous voulons atteindre nous
soutiendra, j'espère, dans cette carrière d'inquiétudes et
d'angoisses. Aidez-nous aussi en ce qui dépendra de vous.
Marquez-nous confiance et mettez-nous dans les affaires
générales quand l'occasion s'en présentera, considérant
toujours que nous sommes par les traités l'une des cinq
puissances composant la grande alliance. Cette manière
d'agir augmentera notre force dans l'intérieur, imposera
silence aux malveillants qui seraient charmés que la France
eût l'air d'être humiliée pour tirer parti de cette arme
contre le gouvernement royal. Relevez-nous autant que
vous pourrez, ce sera le moyen de nous affermir et notre
affermissement est nécessaire au monde. N'oubliez pas que
nous avons une excessive vanité et que nous sommes très
susceptibles. Tout ce qui ressemblerait à la menace pro-
duirait un effet directement contraire à celui qu'on en
attendrait. Je sais au reste que vous pensez comme moi
là-dessus, mais je vous parle avec franchise et dans ce que
je crois être de notre intérêt commun. Le salut des
peuples exige que les gouvernements s'entendent, se
serrent et qu'on se dise réciproquement et sans aucune
réticence tout ce qu'on croit utile. Vous me trouverez
toujours dans les dispositions qui sont les vôtres, mon
Prince, et j'espère que marchant toujours d'accord nous
atteindrons notre but commun, celui d'assurer le repos de
cette pauvre Europe qui en a si grand besoin. Agréez,
mon cher Prince, l'assurance de mon bien sincère et constant attachement.—RICHELIEU.

During the following weeks, the French government managed to put through Parliament legis-
lation aimed at checking the progress of the lib-

erals, notably a new electoral system. This success
was hailed by Metternich in a letter we know only
by Richelieu's answer: [80]

LE BARON DE VINCENT m'a remis, mon cher Prince,
la lettre que vous m'avez fait l'honneur de m'écrire. Le
suffrage que vous voulez bien donner aux efforts que nous
avons faits pour résister au génie du mal est bien propre à
nous encourager dans cette rude carrière. Nous sommes
pour le moment parfaitement tranquilles et il serait impossible de s'apercevoir, en voyant Paris aujourd'hui, qu'il
eût été livré il y a si peu de temps à une agitation aussi
violente. Au reste, ce qui prouve bien qu'elle n'était qu'à
la surface, c'est que précisément dans le moment le plus
chaud de ces discussions, on procédait dans toute la
France au recrutement annuel qui met en mouvement trois
ou quatre cent mille jeunes gens, mais il n'y a pas eu le
moindre désordre; au contraire, partout a régné le calme
le plus complet et une soumission absolue. Si nous pouvons
arriver à composer une chambre où la raison soit en
majorité, je crois que nous pourrons répondre de notre
affaire. C'est à cela qu'il faut tendre et diriger tous nos
efforts. C'est aussi le point le plus difficile, celui que nos
ennemis nous disputeront avec plus d'acharnement. Je
suis sûr, mon cher Prince, que vous ferez des voeux pour
nous. C'est un intérêt commun que celui de la consolida-
tion de l'ordre social en Europe. Vous venez d'y travailler
avec tant de succès pour l'Allemagne que vous avez bien
prouvé que vous n'y étiez pas indifférent. Je vous remercie des notions que vous me donnez sur M. de
Berstett [81] que je connais d'Aix-la-Chapelle. Je suis très
disposé sur votre parole, mon cher Prince, à lui accorder

---

80. July 6, 1820, *H.H.S.A., Frankreich, Varia,* 92.
81. The Baron Wilhelm-Ludwig von Berstett was prime
minister of the Grand-Duchy of Baden and had been a staunch
supporter of Metternich in the Carlsbad and Vienna conferences.

pleine et entière confiance et je pense qu'il peut résulter
d'un peu plus d'intimité entre nous des avantages réci-
proques et je vous promets que je serai empressé de mon
côté à cultiver ces rapports. D'ici à peu de jours, je
m'adresserai directement à lui pour les établir.

J'adresse cette lettre à Vienne où j'imagine qu'elle vous
trouvera déjà arrivé. Je fais des voeux bien sincères pour
que vous n'y trouviez plus de nouveaux sujets d'inquiétude
et de chagrin. J'ai pris une part bien sincère à ceux que
vous avez éprouvés récemment.[82] Puisse la Providence
vous épargner les peines du coeur qui au fait sont les
coups les plus sensibles qui peuvent nous frapper. Je
vous prie, mon cher Prince, de recevoir la nouvelle assurance de la haute considération et de l'inviolable attachement que je vous ai voué pour la vie.—RICHELIEU.

82. Metternich had lost his beloved daughter, Clementine,
the 6th of May.

## II. The Neapolitan Revolution

In the first days of July, 1820, a military coup, engineered by the Carbonari, obliged King Ferdinand IV to accept a liberal constitution patterned after the Spanish Constitution of 1812. The old King then abdicated in favor of his son and heir, Francis, Duke of Calabria.

This movement, coming after the Spanish revolution and assuming the same pattern, appeared to Metternich as the gravest threat to the political order in Italy and the whole of Europe. Austria, with her possessions in Italy, was directly concerned, and both Metternich and his Emperor resolved immediately to crush this revolutionary attempt. They desired, however, the moral support of the other great European powers. After Austria, no other country was as closely interested in this issue as France. Louis XVIII as head of the House of Bourbon could not remain silent. France also had a special concern for the welfare of the Holy See and could not abandon the whole of Italy to

Austria without a loss of prestige that might have some bearing upon internal politics.

Richelieu's reaction can be seen in the following letter. His desire to prevent unilateral intervention by Austria is obvious in his proposal of a congress.[83]

M. LE BARON DE VINCENT m'a fait part, mon cher Prince, de ce que vous l'avez chargé de nous dire au sujet des évènements qui viennent de se passer à Naples. Je vois qu'ils ont fait sur vous l'impression à laquelle on devait naturellement s'attendre. Je ne doutais pas que vous fussiez disposé en cette circonstance comme dans toutes les autres à réunir tous vos efforts pour préserver l'ordre social des dangers qui le menacent et empêcher l'Italie d'être tout entière la proie des révolutions beaucoup plus à craindre depuis qu'elles sont l'oeuvre de la soldatesque. L'exemple que l'armée espagnole a donné et que les troupes napolitaines ont suivi de si près sans avoir aucun des griefs des Espagnols menace de replonger l'Europe dans la barbarie et mérite assurément toutes les méditations de ceux qui sont appelés à se mêler des affaires des hommes. Le remède à ces maux est certainement très difficile; il faut pourtant y songer bien sérieusement sous peine de voir notre civilisation européenne dont nous sommes si fiers disparaître devant les caprices des soldats.

Vous sentez, mon cher Prince, que dans la situation où nous sommes nous devons ressentir autant et plus que personne le contrecoup de ces funestes évènements. Nous devons désirer vivement que le reste de l'Italie et notamment l'Etat du Pape soit mis à l'abri des secousses intérieures comme de l'agression du dehors et que le Souverain Pontife n'éprouve ni dans la forme de son gouverne-

83. July 28, 1820. *H.H.S.A., Frankreich, Varia,* 92.

ment ni dans sa situation personnelle aucun de ces change-
ments qui pourraient ébranler la chrétienté tout entière.
Nous désirons tout cela sans voir encore clairement de
quels moyens il faudrait se servir pour arrêter le mal et
jusqu'où il conviendrait d'aller sans trop aigrir les esprits.
C'est à vous qui vous trouvez en première ligne à com-
biner sans perdre de temps les mesures qu'il vous con-
vient de prendre. Mais permettez-moi de vous dire qu'à
quelque parti que vous vous arrêtiez, il est de la plus
haute importance que vos moyens soient si puissants et
si énergiques qu'il n'y ait pas la moindre chance de non-
succès. Il faut, si vous vous décidez à agir, que tout puisse
être conduit et terminé comme en 1815 [84] et que l'on ne
puisse pas avoir le temps de se reconnaître. Les nouvelles
que vous aurez reçues de Naples après le départ du
courrier que vous avez expédié au baron de Vincent vous
auront paru encore plus graves que les premières. Déjà
l'esprit révolutionnaire secondé par quelques soldats na-
politains avait pénétré à Bénévent et il était évident que
les Etats pontificaux courent les plus éminents dangers.
Vous aurez vu par une lettre du baron de Vincent que
le comte de Blacas qui se trouvait à Florence avait parlé
à l'Infante [85] dans le sens que vous désiriez. Vous pouvez
être assuré qu'il continuera à tenir le même langage, mais
qu'y gagnerons-nous si son bataillon veut aussi faire une
constitution? Vous pouvez compter que de notre côté nous
ferons tout ce qui sera en notre pouvoir pour prévenir

84. When the Austrian army crushed that of King Joachim
Murat.
85. Maria-Luisa, Spanish princess, formerly Queen of
Etruria, had been given the little duchy of Lucca, as a com-
pensation for Parma. Some Spanish agents had tried to per-
suade her to imitate her brother Ferdinand VII of Spain by
granting a constitution. She quickly consulted Count de Blacas,
ambassador of Louis XVIII to the Pope who happened to be in
Florence at the time, and he advised her strongly against such
a move. Letter of Blacas to Pasquier, July 13, 1820, *A.E., Cor.
Pol., Rome,* 954.

des maux que plus que personne nous avons à redouter. Je vais prescrire à notre police de se diriger plus particulièrement vers l'Italie et je vous ferai part de tout ce qui viendra à notre connaissance. Mais dans ces graves circonstances, n'y aurait-il pas, mon cher Prince, un moyen d'agir sur l'esprit des peuples et à prouver aux révolutionnaires de tous les pays que les cinq grandes puissances continuent à être unies par des liens indissolubles. Ne serait-ce pas le cas d'une de ces réunions prévues par les conventions d'Aix-la-Chapelle et le voyage de l'Empereur Alexandre à Varsovie ne faciliterait-il pas les moyens de se réunir à Vienne ou dans tout autre endroit voisin? Il me semble qu'outre l'avantage de bien convenir de ces faits, on ne pourrait qu'attendre de bons résultats des mesures qui rassureraient les bons et effraieraient les méchants. Un des moyens révolutionnaires employé avec le plus de succès est de persuader que la division existe entre nous. Un pamphlet disait hier que votre cour et celle de Russie exigeaient qu'on mit un terme à la détention de Bonaparte. Montrons à tous ces insensés que nous sommes plus unis que jamais et nous aurons en grande partie déjoué leurs machinations. Je vous abandonne cette idée, mon cher Prince, je crois qu'elle est utile et la position où vous vous trouvez aujourd'hui vous met dans le cas de mieux en juger que personne. Soyez assuré que nous souhaitons aussi vivement que vous que tout ceci finisse bien et que la tranquillité se raffermisse en Italie. C'est à vous qu'il appartient d'atteindre ce but. J'espère que vous y parviendrez. Je vous renouvelle, mon cher Prince, l'assurance bien sincère de mon inviolable attachement et de ma haute considération.—RICHELIEU.

Metternich's answer expressed satisfaction but in the last lines showed his fear that the French government would obstruct the Austrian action by its demands:

Vienne, ce 5 août 1820 [86]

MON CHER DUC!—Le baron de Vincent m'a rendu un compte détaillé des entretiens qu'il a eus avec vous sur les évènements déplorables qui viennent d'avoir lieu à Naples. Votre lettre du . . .[87] complète mes notions, et c'est vous rendre justice que de vous assurer que tout ce que vous me dîtes j'ai attendu que vous le disiez. Il ne faut certes pas l'étendue des principes qui vous animent, votre esprit droit, votre coeur exempt de préjugés pour juger de la conséquence de cette nouvelle complication. Le seul bon côté que je lui reconnais (?)—ou ce qui est plus exact, le seul côté moins pernicieux—c'est la marche qu'a suivie le bouleversement d'un royaume, gouverné dans un sens éclairé et heureux du bonheur que détestent les factieux. Le peuple a été le proie de quelques hommes de boue et de sang. Il ne tardera pas à le sentir.

M. de Saint-Mars [88] m'a fait lecture du dernier rapport qu'il a adressé à son gouvernement; je n'ai pas trouvé un seul mot à y changer. Ce rapport et l'expédition que j'adresse aujourd'hui à M. de Vincent vous mettent au fait de notre pensée la plus entière.

Je vous demande, mon cher Duc, deux faveurs. Confiance dans nos intentions et confiance dans nos calculs et dans nos moyens matériels. C'est en partant de cette base que nous pourrons seulement agir et que vous nous verrez agir.

Le gouvernment piémontais semble bien disposé; j'avoue que j'ai peur qu'il ne compte un peu trop sur son armée. Elle est tranquille jusqu'à cette heure, mais elle

86. *Fds. Rich.*
87. The date is left blank, leaving in doubt whether this letter of Richelieu is that above reproduced or another earlier one. The usual time for transmission of the mail between Paris and Vienna was six to eight days.
88. The first secretary of the French embassy in Vienna, *chargé d'affaires* during Caraman's absence.

renferme également quelques mauvais éléments. La majorité est bonne.

Les Romains ne savent ce qu'ils veulent, ni même ce qu'ils peuvent vouloir. Le gouvernement est ce qu'il est, et il cesserait d'être s'il changeait en bien ou en mal, triste mais forte vérité! Il y a des cardinaux qui vont jusqu'à entrevoir dans la constitution des Cortès un grand bien, vu que la religion catholique y est reconnue. Ces mêmes imbéciles (*sic*) ne demanderoient pas mieux que *constituer* l'État de l'Eglise, en établissant les cardinaux comme *pairs* et les *abbés* comme Chambre des communes. Mgrs. de Bologne et d'Ancône [89] ne pensent pas ainsi.

Je dis franchement à Vincent ce que je vous demande et il vous le dira de même. Avant tout, croyez que nous ne sommes pas gens à perdre la tête et à tomber en faiblesse. Je retrouve l'Empereur dans la présente circonstance comme dans toutes celles où j'ai été à ses côtés, fort, calme et décidé.

Je vous préviens de même que depuis le mois de juin il est question d'une entrevue entre l'Empereur Alexandre et le mien au camp de Pesth. Je suppose que les évènements de Naples décideront de l'affaire. Les vues de l'Empereur Alexandre sont sous plusieurs rapports essentiels autres aujourd'hui qu'elles ne le furent. Il sent que le bien en théorie n'est pas toujours le bien en pratique. Son coeur est droit et son esprit est éclairé. Le fait seul de l'apparition de l'Empereur de Russie dans un camp autrichien est une bataille perdue pour les libéraux de tous les pays. Vous ne pouvez pas vous faire une idée du mal qu'ont fait en Italie la foule de voyageurs russes. Ce mal est bien plus étendu même que celui qu'y avaient fait les bavards de l'opposition anglaise, car les Italiens ne croyent pas qu'un coureur russe puisse parler autre-

89. The papal legates in those two provinces which were permanently threatened by revolutionary movements.

ment que ne pense le Souverain. Vous voyez, mon cher
Duc, que je vous parle en toute confiance; je puis ne pas
vous parler, mais dès que je le fais, je vous dis tout ce que
je pense, et vous savez que ma pensée n'est pas confuse.
Je vous remercie de la surveillance que vous voulez
recommander à votre police. Tout ce que vous me direz
aura un grand intérêt pour nous. Je regarde comme d'une
bien haute importance que vous placiez des préfets et
des commandants militaires *bien sûrs* dans les départements limitrophes de la Savoye et de la Suisse.

Renvoyez-nous bientôt M. de Caraman. Je n'ai pas toujours le temps physique pour écrire, tandis que j'ai
l'habitude de l'établir dans mon bureau et de lui faire
lire tout ce qui peut l'intéresser.

Nous ferons notre devoir; que tout le monde fasse le
sien, et la société pourra encore être sauvée!

La base de tout salut, la seule que je connaisse et la
seule possible doit se trouver dans une confiance absolue
et réciproque des grandes cours et dans une juste distri-
bution des rôles. Tout ce que *peut* l'une, toutes ne le
peuvent souvent pas; mais toutes doivent *vouloir* la même
chose, et cette identité de volonté doit être prouvée aux
yeux de tous. Pour l'amour de Dieu, ne faisons point de
politique; ajournons-la *indéfiniment.* C'est une chose si
facile à faire que la politique usuelle qu'il serait honteux
de s'y livrer quand des efforts bien autres sont réclamés
et par le sens commun et par des circonstances impé-
rieuses.

Agréez mes hommages les plus sincères; vous connaissez les sentiments que je suis habitué à vous vouer; ils
ne changeront jamais, et je ne puis les exprimer mieux
que par les mots de confiance entière.—METTERNICH.

A few days later Metternich in a conversation
with Saint-Mars explained his doubts about the

proposed congress.[90] There was no need, said he, for such a meeting since all the great powers had already expressed their condemnation of the Neapolitan revolution. Delay would only threaten the much desired unanimity.

But, in the meantime, Richelieu and Pasquier had been pressing their idea of a congress, as we see in the following letter: [91]

NOUS ALLIONS VOUS EXPÉDIER Caraman, mon cher Prince, lorsque notre courrier nous a apporté les communications que vous aviez chargé M. de Saint-Mars de nous faire. Il nous a été bien agréable d'y retrouver une parfaite conformité de vues sur l'objet qui nous occupe à si juste titre dans ce moment. J'y ai même remarqué des expressions exactement semblables à celles que vous trouverez dans le mémoire que Caraman est chargé de vous remettre. Occupé comme vous l'étiez de toutes les mesures que commandent des circonstances particulières où vous êtes, vous n'aviez pas encore arrêté votre pensée sur quelques mesures accessoires qui nous ont paru pouvoir influer sur le succès que nous désirons tous également. Toutes ces idées sont renfermées dans le mémoire que Caraman vous porte et elles découlent du principe que je crois indispensable de proclamer dans cette circonstance solennelle, celui de l'union intime des cinq grandes puissances dont il est nécessaire de resserrer les noeuds à mesure que l'ordre public est plus menacé puisque cette union est le plus sûr garant de la tranquillité du monde. Je désire vivement que la proposition contenue

90. Saint-Mars to Pasquier, August 10, 1820, *A.E.*, *Cor. Pol.*, *Autriche*, 401.

91. Richelieu to Metternich, August 10, 1820, *H.H.S.A.*, *Frankreich*, *Varia*, 92.

dans notre mémoire obtienne votre assentiment. Tout ce que je puis vous dire c'est qu'elle nous a été dictée par le désir le plus pur de voir cesser les troubles qui désolent le royaume des Deux-Siciles et menacent l'Italie et d'y ramener la tranquillité d'une manière durable. Il nous a semblé que le plus sûr moyen était de parler en commun le langage de la franchise et de la candeur afin d'ôter à la malveillance toutes les armes qu'elle pourrait tirer de tous les lieux communs dont elle ne manquera pas de faire usage, de l'oppression des faibles par les forts, de la ligue des rois contre les peuples, etc. Tout cela serait réfuté d'avance par une déclaration bien claire et bien précise qui énoncerait loyalement le but et les principes. Cette démarche doublerait vos forces et vous donnerait une puissance d'opinion qu'il est bien important de conquérir quand on le peut. C'est en joignant sa force à celle des armes qu'on peut espérer d'obtenir un succès solide et tel que nous devons tous le désirer. Vous ne pouviez pas encore avoir reçu ma dernière lettre au moment où votre courrier a quitté Vienne, mais elle vous sera arrivée bientôt après et vous y aurez trouvé dans ce que je vous mandais du projet de réunion le germe de l'idée qui est développée aujourd'hui dans notre note. Nous l'avons également communiquée aux cours de Pétersbourg, de Berlin et de Londres, mais c'est de vous surtout, comme le plus directement intéressé, que je désire que nous obtenions l'assentiment. Au reste, ceci est d'un intérêt général; il faut bien le dire, il n'y en a plus qu'un dans la politique européenne, celui du maintien de l'ordre social. Il s'agit de prévenir une conflagration générale et tous les petits motifs d'ambition particulière qui ont tellement occupé nos devanciers en diplomatie paraissent bien petits s'ils ne s'effacent pas tout-à-fait devant un intérêt aussi majeur. C'est en nous pénétrant bien tous de cette vérité et en réunissant toutes nos pensées et nos efforts vers ce but commun de conservation que peut-être nous pourrons l'atteindre. Nous vous promettons d'y concourir de tous nos moyens et je vous assure en mon particulier que vous ne nous trouverez jamais hors de cette route de franchise et de confiance.

Je n'ose vous parler, mon cher Prince, de l'évènement qui vous a déchiré le coeur [92] et auquel je vous prie de croire que j'ai pris une très vive part. Car deux pertes comme celles-là coup sur coup sont presque plus que la nature humaine n'en peut supporter. C'est presque un bonheur que vous ayez en ce moment-ci une distraction forcée par la nature et l'importance des affaires dont vous êtes occupé: vous ne supporteriez pas une vie inactive. La catastrophe de Sicile fait horreur. Voilà donc les premiers fruits de cette révolution qui devait tout d'un coup régénérer ces peuples, la guerre civile et la séparation des deux royaumes. Qu'ils sont coupables les hommes qui pour des intérêts particuliers entraînent les peuples dans de semblables calamités!

J'envie Caraman qui aura le plaisir de vous voir et d'être à Vienne dans huit jours. Je voudrais fort l'accompagner. Il vous dira, mon cher Prince, et je vous prie de le croire, que je conserve pour vous des sentiments d'attachement et de haute considération qui ne finiront qu'avec ma vie.—RICHELIEU.

Caraman arrived in Vienna the 18th of August and handed Metternich a French memorandum.

"C'EST PARFAIT," said he, "j'adopte tous les principes contenus dans ce mémoire. . . Il faut une déclaration des cinq puissances, il la faut claire et positive, il faut qu'elle précède ou qu'elle accompagne les premiers actes d'hostilité. L'Autriche placée en première ligne a dû s'occuper de la conservation de ses positions et de les défendre

92. A few weeks after the death of Clementine, Metternich had lost his elder daughter, Marie, Countess Joseph Esterhazy (July 20).

des agitations intérieures et de l'influence extérieure. En cela elle a le droit d'agir par elle et pour elle; mais tout ce qui se fera au delà doit être de concert avec ses alliés. Ses troupes qui, par la position géographique de ses Etats, doivent être les troupes d'exécution, ne doivent pas se présenter comme une armée destinée à faire la guerre, mais comme une troupe de police appelée à rétablir l'ordre et à exécuter les conditions d'un pacte qui a placé le repos de l'Europe sous la garantie des cinq grandes puissances. . . . Il faut donc qu'elles manifestent hautement leurs devoirs plus que leurs intentions et l'Autriche sera la première à donner l'exemple de l'adhésion la plus complète à ce que la majorité décidera." [93]

Metternich was still wary about holding a full-dressed congress. He argued that Castlereagh would never dare participate in such a meeting for fear of public opinion in England, and his absence would then create the impression of disunity. As a substitute, he favored an informal meeting of the emperors of Austria and Russia, to which would be invited Richelieu and the ambassadors of Prussia and Great Britain. These personages would limit their task to drafting a common declaration and then turn over the job of supervising the Austrian police action to a permanent conference of ambassadors in Vienna.

The following letter to Richelieu tried to convince him to go along with Metternich on these lines: [94]

93. Caraman to Pasquier, *A.E., Cor. Pol., Autriche.*
94. *Fds. Rich.*

Vienne, ce 21 août 1820,

M. DE VINCENT VOUS SOUMETTRA, mon cher Duc, une dépêche préalable que je lui adresse aujourd'hui. Vous vous convaincrez que notre pensée est la même et que nous entrons absolument dans vos idées sur l'avantage qui devra résulter de toute preuve concluante aux yeux de tous, de l'uniformité et de la solidarité la plus parfaite entre les cinq cours. Toutes vos remarques sur cet intéressant objet sont partagées par nous; il s'agit donc de les mettre en oeuvre et c'est à quoi je m'applique.

Je puis répondre de la marche que suivra la Prusse. Vous et moi pouvons en faire autant des intentions de l'Empereur Alexandre: il faudra voir ce que vaudra son cabinet, et dans deux ou trois jours nous pourrons juger de ce fait. La dernière attitude que Capo d'Istria avait prise n'était pas bonne; il nous renvoye la balle pour la différence qu'il y a eu entre la manière de juger sa proposition relative à l'Espagne émise uniformément par les autres quatre cours. Il y a énormément de polémique dans ses explications, beaucoup de phrases, de calculs et de contre-calculs, d'évaluations sur les pesanteurs spécifiques des alliances quadruple, quintuple, sainte, générale et fraternelle. Tout ce que je puis opposer à des calculs pareils, c'est la conviction que si nous ne sortons pas de l'empire des vaines théories et que si nous nous disputons sur la valeur de simples mots, quelque sacrés que puissent être ces mots, l'Europe sera la proie des carbonari, tout comme le bas Empire a été celle des Turcs, et pour la même cause.

Ces discussions savantes ont précédé l'évènement de Naples; il faut espérer que M. de Capo d'Istria leur vouera la même valeur que nous tous, qu'il se dira que ces évènements commencent une ère nouvelle, et qu'il ne s'agit pas de discuter mais de convenir.

Je vous prie de vous arrêter fortement à la nuance que nous mettons entre *une réunion de souverains ou de*

*cabinets sur la base de celle d'Aix-la-Chapelle* et l'établissement *d'un point central pour établir et pour diriger l'action
morale des cinq Cours dans l'affaire de Naples.* Jamais
l'Angleterre n'entrera dans la première de ces propositions,
tandis que je ne doute pas qu'elle n'autorise un pléni-
potentiaire à prendre part à la dernière mesure. J'expédierai demain un courrier à Londres pour soutenir la
thèse. Les explications que nous avons reçues jusqu'à
cette heure, de Londres, sont tellement franches et
prononcées dans un sens conforme au nôtre qu'elles ont
surpassé mon attente, non sous le point de vue du
principe, mais sous celui de son application. Les questions
se réduisent au reste à des termes très simples.

Il est arrivé à Naples ce qui ne saurait rester triomphant
sans que les gouvernements, quels qu'ils puissent être,
ne risquent de ne pas pouvoir se soutenir. Faites vous
soumettre la feuille du 7 août du *Vrai Libéral* [95] et lisez-y
un article sous la rubrique de *Triomphes constitutionnels:*
il épuise la matière.

Il est en conséquence d'une nécessité indispensable
que les puissances avisent aux moyens de réprimer un
mal, lequel ne les épargnerait pas s'il parvenait à les
atteindre.

Le moyen de réprimer ce mal ne peut se trouver que
dans leur accord le plus intime. Il ne suffit toutefois pas,
pour que cet accord existe, il doit être prouvé aux yeux
de tous.

En réprimant un mal, il ne faut pas en créer un autre.
Des mouvements militaires prêtent souvent à des inter-
prétations fausses; il faut donc ne pas les couvrir du
voile du mystère; leur but et leurs bornes doivent être
généralement connus. Leur but doit être la punition
des coupables et le soutien des opprimés. Il ne s'agit pas
d'une guerre politique, mais d'une mesure de police. On

95. *Le vrai Libéral* was a newspaper published in Brussels
by French exiles fighting the Bourbon regime.

n'attaque pas une puissance, mais on sauve un pays de la fureur de quelques factieux et de la sottise de leurs dupes.

Les traités des années 1814 et 1815 sont la base immuable de la politique des cinq grandes cours. Elles sont unies pour les maintenir, elles sont décidées à n'y rien altérer et elles ne souffriront pas que d'autres le fassent. Elles annonceront au monde dans des termes très simples et très clairs que telle est leur décision et leur volonté constante; elles l'annonceront pour consoler les hommes de bien, pour soutenir les faibles et pour abattre les méchants.

Vous vous serez convaincu, mon cher Duc, par tout ce que j'ai dit et fait, par tout ce que vous avez lu de notre part et par tout ce que nous avons déclaré en tous lieux, que ce que je viens d'énoncer ne sont pas des phrases pour vous. Vous voulez ce que nous, nous voulons; il s'agit donc de trouver le moyen de faire coïncider les cinq cours dans une même forme et pour que tel puisse être le cas, il faut la choisir de manière à ce qu'elle puisse aller à toutes.

J'envoye à Vincent des lettres *sûres* de Naples, l'une d'un *ultra-libéral,* l'autre d'un homme pensant comme nous. Il est intéressant de voir combien elles coïncident dans le fait que la plus affreuse anarchie va s'emparer du royaume. Ce fait, très naturel en lui-même, et immanquable à Naples, vient à notre secours et diminuer les regrets qu'il serait possible d'avoir de ce qu'une force armée ne se soit pas trouvée toute prête pour éteindre le feu dans le tout premier moment. Il n'est pas sans intérêt que l'Europe *voye* que les bouleversements à l'eau de rose ne sont vrais qu'en théorie. Il faut espérer qu'un parti se présentera qui proclamera le secours comme porté au salut des propriétaires et des hommes de bien. Je ne crois pas à des risques pour la famille royale. Le Roi est aimé et respecté; les partis n'oseront pas l'attaquer;

ils le placeront devant eux comme un bouclier; le peuple
le regardera comme tel. Mais il pourra survenir des scènes
affreuses dans la capitale et dans l'intérieur du royaume.
Un mot assez important m'a été dit par M. de Serra
Capriola [96] sur ma demande s'il admettait la possibilité
que les partis ne se déchaînassent pas, il m'a répondu:
le peuple ne sait encore rien de ce qui s'est passé. Il
aime beaucoup le roi et il croit que ce que l'on fait est
pour son bien; le jour où il saurait ou croirait savoir le
contraire, il se livrerait à une réaction qui ferait couler
des flots de sang!

Je n'ai au reste jamais vu un plus pitoyable envoyé. Il
n'a pas osé me dire une seule fois que dans tout ce qui
s'est fait il serait possible de découvrir un seul bon côté.

Castel Cicala [97] va être nommé pour Madrid. Spacca-
formo doit vous arriver de Turin. Traitez-le comme nous
traitons Gallo.[98] Cimitille [99] doit passer par Saint-Péters-

96. The Duke of Serra Capriola had been a long time in
Russia as ambassador of the King of Naples. Absent from his
country at the time of the revolution, he had sent his acceptance
of the new constitution. The new Neapolitan government,
which had not been recognized by Austria, tried to take advantage of his good reputation to break this kind of blockade. His
elder son, Nicolas, was sent to Vienna with personal letters
from his king to the Emperor, but he was not allowed to deliver
them. (Caraman to Pasquier, August 21, 1820, *A.E., Cor. Pol.,
Autriche,* 401.)

97. The Prince of Castel Cicala was until then ambassador
of Naples in Paris.

98. The Duke of Gallo had been named ambassador of
Naples in Vienna by the new constitutional government. Metternich, refusing any kind of recognition to this government, had
given orders that Gallo should be stopped at the frontiers of
Austria. He hoped that the French government would give the
same treatment to the man who had been assigned to Paris.

99. Prince Cimitille was to be ambassador in London, but
his government had given him a mission to St. Petersburg where
he was to try to mollify the opposition of the Czar against the
new order. As he was crossing Austria as a private person, he
was allowed to come to Vienna, but there he was refused a

bourg pour passer à Londres. Le ministre de Russie ici
lui refusera des passeports jusqu'à ce qu'il soit muni
d'ordres de sa cour. Serra Capriola est confirmé dans
son poste. Ruffo [100] est le seul rappelé et il vient de
recevoir des lettres de recréance, avec l'ordre de se
rendre sur le champ à Naples pour y répondre de la
conduite qu'il tient. Il ne remettra pas ses lettres de
recréance, il n'ira pas à Naples, il ne répondra à rien. Il
se déclare immobile, sourd et muet et il sacrifie avec
plaisir toute sa fortune. Ruffo est plus éclairé que Pepe,[101]
malgré ce qu'en dit dire le *Vrai Libéral.*

Je ne vous parle pas de mes malheurs personnels. Il
en est qu'il faut supporter parce que l'on ne peut rien y
changer. J'ai pris le parti d'éloigner pour quelques mois
ma femme d'un lieu où tout lui offre l'image de la douleur.
Sa santé est très faible; mon idée avait été de lui faire
passer l'hiver en Italie; Minichino [102] y a mis bon ordre.
Je l'envoye donc à Paris, elle y vivra dans la retraite,
entourée de ses enfants et accompagnée de son gendre.
Paris prête à la solitude comme au monde. Je suis charmé
de pouvoir vous fournir d'un autre côté une preuve de
ma confiance dans la force de votre gouvernement. Il y
a six mois que je l'eusse envoyée aussi peu à Paris
qu'aujourd'hui à Rome.

Recevez, mon cher Duc, l'assurance des sentiments que
vous me connaissez.—METTERNICH.

passport to enter the Russian Empire and had to go back to
Naples with Gallo.

100. Prince Ruffo was until then ambassador of Naples in
Vienna.

101. General Guglielmo Pepe had been the leader of the
military revolution in Naples.

102. Luigi Minichini, an unfrocked priest, had become one
of the leaders of the Carbonari in the Kingdom of Naples. He
had started the revolutionary movement in Nola, on July 2,
1820. In the new Neapolitan Assembly, he advocated the most
radical measures.

# III. The Congresses of
# Troppau and Laybach

The insistance of the Russian government finally
forced Metternich to agree to a congress of the
Allied Powers from which Austria would receive
a mandate to crush the Neapolitan rebellion. This
congress opened in Troppau at the end of October. As Metternich had feared, the British government refused to send a cabinet minister and was
represented by its ambassador in Vienna, Lord
Stewart. He was not authorized to sign anything
and was there only as observer. The French government, which had first advocated this meeting,
surprised everyone by its decision to conform to
the British attitude. It sent as observers Caraman
and La Ferronays, ambassador to Russia, who were
instructed to keep in the background and not to
sign any documents that would be unacceptable
to Great Britain. This is no place to explain the
reasons for this change of policy, but there is no

doubt that it was severely judged by the three continental Powers.

Metternich expressed his displeasure in a letter to Baron Vincent, dated October 6, 1820:

LE MARQUIS DE CARAMAN m'a laissé prendre connaissance des dernières directions qu'il a reçues de Paris. Elles sont pitoyables et c'est le seul jugement que je puis prononcer sur leur contenu. . . Si j'avais puisé dans la marche prononcée du gouvernement français une lueur d'espoir d'un sentiment de vigueur, je retomberais aujourd'hui de toute la hauteur à laquelle je me serais plu à m'élever pour suivre sa pensée. Ce qu'énonce aujourd'hui le cabinet français prouve évidemment que sa première conception n'a été basée que sur de la simple jalousie contre nous, tout comme elle s'applique aujourd'hui à laisser un libre cours à son animadversion contre l'Angleterre. Il a voulu se placer de prime abord sur notre ligne, même nous devancer sur le terrain qui trop malheureusement peut être exploité que par nous, et fait retomber maintenant tout le blâme sur la puissance que dans un point de vue d'une étroite politique il considère comme sa rivale permanente. Faire en 1820 et dans la situation de la France et de l'Europe de la politique de ce genre, c'est ne pas savoir ce que l'on fait et ce qu'il faut faire. . .

By this absention of France and Great Britain, the Congress of Troppau became in fact a tripartite meeting of Austria, Prussia and Russia, and one could even say a dialogue between Czar Alexander and Metternich. From their agreement came the famous Declaration of November 19, 1820 which proclaimed the right of intervention against revolutionary movements. The actual steps to implement the Declaration were referred to a later meeting to be held in Laybach, which the King of Naples as well as the other Italian sovereigns were invited to attend.

The French representatives at Troppau had been paralyzed by their ambiguous position and by their disagreement. In the end, they were not allowed to adhere to the decisions of the three continental Powers. But there was nothing ambiguous about the position of the British government. It sent to all its diplomatic agents a sort of manifesto disowning the Declaration of Troppau.

Metternich vented his scorn in the following lines: [103]

L'ATTITUDE QUE VIENT de prendre la France est déplorable et pour elle et pour l'Europe. Elle lui fera éprouver pour elle-même de graves inconvénients car une puissance ne recule jamais impunément sur une ligne qu'elle a annoncé vouloir suivre. Rien ne détruit la confiance comme la faiblesse démontrée. Son attitude n'est pas moins nuisible aux véritables intérêts de l'Europe car il est de la nature des corps faibles d'agir comme autant d'entraves au bien qui ne peut être atteint qu'au moyen d'une détermination forte et soutenue. Le gouvernement français a reproduit par sa conduite dans cette seule conjecture [*sic*] politique tous les errements de la marche tant administrative que politique qu'il a suivie depuis des années. . .

103. To Vincent, November 10, 1820, *H.H.S.A., Frankreich, Weisungen,* 343.

Richelieu was well aware of this unfavorable mood when with Vincent's departure for Laybach, an opportunity presented itself to soothe Metternich.[104]

QUOIQU'AU MILIEU DE TOUS nos travaux parlementaires il nous reste bien peu de moments, je ne veux pas, mon cher Prince, laisser partir le baron de Vincent sans le charger d'un petit mot pour vous. Nous espérons bien que son absence ne sera pas longue et que vous nous le renverrez aussitôt que vous n'en aurez besoin ailleurs. Ce serait un vrai chagrin pour nous que de le perdre et en mon particulier, je lui suis sincèrement attaché. Le baron de Vincent vous trouvera déjà arrivé à Laybach, et depuis quelque temps j'espère que vous y ferez de bonne besogne et vous pourrez compter que nous vous y aiderons de tout notre coeur, en restant toutefois dans la ligne que notre position nous trace impérieusement. Nous sommes et serons fidèles à l'Alliance. Notre intérêt, notre devoir nous en imposent la loi et je vous prie d'être bien persuadé qu'aucune arrière-pensée ni d'ambition, ni d'influence ou encore moins de libéralisme, ne sera jamais pour rien dans notre conduite, mais il est des moments dans la manière d'agir et de s'expliquer qui tiennent à une foule de considérations intérieures et qu'il est du devoir des gouvernements d'observer. Nous ne nous plaçons pas sur la ligne de l'Angleterre mais nous ne pouvons pas non plus suivre exactement la même ligne que vous. Quant à notre marche intérieure, je crois que nous sommes sur la bonne voie et nous tâcherons d'y rester en évitant les extrêmes; si nous savons être un peu sages, nous pourrons affermir notre tranquillité sur des bases solides et par là contribuer beaucoup à celle de l'Europe. Je vous promets

104. December 1820, *H.H.S.A., Frankreich, Varia,* 92.

que j'y emploierai tous mes efforts et c'est pour y veiller constamment que j'ai dû mettre de côté le vif désir d'aller me réunir à vous à Laybach. Vous concevrez facilement tous mes regrets, mon cher Prince, mais j'espère aussi que vous approuverez ma conduite.

Je n'avais pas besoin de votre recommandation pour prendre un vif intérêt à la pauvre Henriette Carneville. Je ferai tout ce qui dépendra de moi, mais la chose est bien difficile.

Je me recommande, mon cher Prince, à votre amitié et vous renouvelle l'assurance de mon sincère attachement et de ma haute considération.—RICHELIEU.

Metternich's answer carefully maintained the appearance of confidence, though, by this time, each party was thoroughly distrustful of the other:

Laybach, le 11 janvier 1821.[105]

M. DE VINCENT QUI EST ARRIVÉ ici ce matin m'a remis la lettre dont vous avez bien voulu me (*sic*) charger, mon cher Duc.

Votre souvenir et le contenu de votre lettre m'ont fait un égal plaisir. Le premier m'est constamment précieux et le second est certes bien conforme à la pureté de vos intentions et au sentiment que vous partagez avec nous sur les dangers et les nécessités du moment actuel.

Suivez la ligne que vous tracez dans votre lettre; vous servirez la cause qui est celle de tout ce qu'il y a de sage et d'honnête au monde. Nous ne vous demandons pas davantage, car nous ne ferons nous-mêmes que ne pas nous en écarter. Mais il n'en est malheureusement pas de même de tout le monde!

Rien ne peut vous être caché sur les compromissions graves auxquelles s'est laissé entraîner le petit Fontenay.[106]

105. *Fds. Rich.*
106. Fontenay, French *chargé d'affaires* in Naples, was ac-

J'avoue que je ne l'en aurais pas cru capable, mais il est des positions qui ne pardonnent pas et je place à leur tête celles d'un subalterne livré à de graves circonstances.

Nous sommes décidés à déraciner le polype qui ronge le royaume de Naples; il faut le tuer jusque dans ses ramifications, car il recroîtrait. Il faut remplir le vide par ce qui sera bien, sage, conforme aux veritables besoins du royaume, à l'esprit de ses peuples, d'un peuple à demi-africain et barbare et lequel ne comprend pas ce sur quoi disputent les doctrinaires dans des pays plus avancés en civilisation. La véritable libéralité, mon cher duc, celle que je professe, celle qui est la vôtre et de tout homme de sens et de coeur droit, c'est de faire bien, et on ne le fait que quand on consulte les attitudes négatives. Vous avez bien du monde chez vous qui prendrait ce que je dis ici pour du grec; ils n'en sont néanmoins pas plus savants!

Je ne doute pas que dans peu nous toucherons à un résultat conforme à tous les besoins. Tels sont au moins les voeux les plus ardents que je forme et je jure bien les seuls que je puisse former.

Je charge Floret de vous parler d'une affaire bien secondaire; vous en ferez ce que vous voudrez.

Adieu, mon cher Duc, je vous écrirai plus au long dans peu de jours; je ne fais que mettre à profit pour vous dire ces peu de mots le moment où j'allais expédier le présent courrier. Recevez l'assurance de toute mon amitié et de ma bien véritable et haute considération.—METTER-NICH.

Richelieu's own grievances can be found in a letter to Caraman: [107]

cused by Metternich of attempting to forestall the Austrian intervention by suggesting a plan which would have made Louis XVIII mediator between the Allies and the Neapolitan constitutional government.

107. January 22, 1820, *Fds. Rich.*

EN GÉNÉRAL IL EST FACILE de reconnaître le vif désir qu'on a d'écarter toute influence française dans ces affaires. . . La pensée seule que la France pouvait être appelée à jouer un rôle principal dans cette affaire est odieuse au prince Metternich et il fait retomber son humeur sur ceux qu'il suppose avoir voulu contribuer à amener ce résultat. Quelle est cette politique? Elle est vraiment bien étroite. Pense-t-on que la France puisse sans danger pour l'Europe rester dans un état passif et secondaire, dans une situation qui l'humilierait et dont elle tendrait à sortir de gré ou de force? Les Alliés ont dit en 1815: il faut que la France soit forte, puissante et considérée. Prend-on bien le moyen que cela soit ainsi en affectant de vouloir annuler toute influence française? J'espère que malgré eux et pour leur bien, ils ne réussiront pas dans cette entreprise.

## IV. Metternich Triumphant

The police action of Austria in Italy ended with easy and complete success. On March 25, her troops entered Naples and restored the absolute monarchy. While they were marching south, a part of the Piemontese army attempted a revolution in Alexandria and Turin, but this movement was also promptly crushed in the first days of April.

Richelieu wrote to the Russian minister Capo d'Istria: "L'évènement justifie les plans du Prince de Metternich, et je ne puis pas nier qu'il a mieux deviné que nous." [108]

Metternich himself, flushed with success, could not refrain from blowing his own triumphant trumpet: [109]

*Confidentielle.*

MONSIEUR LE DUC, Il y a longtemps que je ne vous ai donné un signe de vie; une occasion que m'offre M. de Caraman, et la position générale des choses m'engagent

108. April 8, 1821, *Fds. Rich.*
109. From Laybach, April 10, 1821, *Fds. Rich.*

à vous écrire avec cette confiance que je vous porte. Vous savez qu'elle m'est toute naturelle, elle fait partie de mon tempérament.

Le monde a été naguère à deux doigts de sa perte; il est en train de pouvoir être sauvé, mais il ne l'est pas encore. Il le sera si tous les hommes voulant le bien et ayant les moyens de le faire s'entendent, se réunissent, se serrent de près et agissent dans un même sens. La différence des positions ne fait rien en ceci.

Il est placé hors de tout doute que l'état politique et social a tenu à un succès ou à une défaîte de notre armée. Croyez que nous le savions et que nulle illusion n'est jamais entrée dans aucun de nos calculs. Vous le savez, vous en êtes convaincu tout comme je le suis. Le Ciel a béni l'entreprise la plus juste et à la fois la plus salutaire. Tout dans l'affaire de Naples a été ainsi que nous l'avons désiré; j'avoue même que sans jactance, je puis ajouter, ainsi que nous l'avions prévu. Une immense fantasmagorie a croulé. Un corps qui portait toutes les apparences de la solidité a été réduit en poussière au premier contact. Il est clair et il doit être prouvé aux plus incrédules que la révolution napolitaine s'est passée *hors du peuple*, qu'elle n'a été que l'oeuvre d'une bande de scélérats et que ce que ses complices eurent soin de faire valoir comme le comble de la sagesse, de la force unie à la modération, n'a été que le sentiment de la faiblesse, de la peur couverte du masque de l'hypocrisie. Naples est parfaitement tranquille; le peuple y est éloigné de toute réaction comme de toute action; il ressemble en ceci à tous les peuples à la suite des tourments effroyables des trente dernières années. La Secte y vit et travaille avec zèle et constance; nous ferons tout pour la tuer et avec elle la *révolution*, car celle-ci est toute dans la secte. Ne vous laissez point abuser sur cette importante vérité. Je connais l'Italie comme l'Allemagne et comme la France, et l'on ne juge bien que le pays que l'on connaît beaucoup.

Tout dépend aujourd'hui de la France: le salut comme
la perte du monde. Le salut est immanquable si vous vous
soutenez; pour vous soutenir, il faut que vous saisissiez le
moment; il est immense et sans pareil. Je nourris malheureusement dans le plus secret de mon intérieur de
grandes appréhensions.

Tâchez, mon cher Duc, pour votre salut, pour le nôtre,
pour celui de la société entière, d'éloigner de votre centre
les petites gens, les petits politiques, les politiques surtout
de l'école de Bonaparte. Vous me l'avez dit, car vous le
sentez comme moi, qu'il ne doit point y avoir de politique
du tout dans un moment où la nature des choses n'en
admet point et ma nature des choses est autre que celle
de M. l'abbé de Pradt.[110] C'est en n'en faisant point que
l'on fait aujourd'hui de la bonne politique. Tuons le mal,
ne le soutenons en aucun lieu, déblayons le terrain, et
alors, quand le champ sera pur et net, présentons-nous
comme des champions sur cette terre qui sera la nôtre, et
pas celle de nos adversaires les plus acharnés. On ne
peut point pactiser avec ces adversaires car ils ne peuvent
que vaincre ou périr!

Toute l'affaire du Piémont a été faite à Paris. Nous
en avons toutes les certitudes. MM. de Dalberg [111] et de
Bardaxi [112] ont disposé de plus de forces morales en

110. Dominique Dufour de Pradt, formerly chaplain of
Napoleon and named by him Archbishop of Malines, had turned
against the Emperor in 1814. But his past prevented him from
becoming an official figure in the Restoration. Ambitious and
restless, he poured out a continuous stream of political pamphlets in which he supported the inevitability of the movement
toward liberal institutions.

111. The Duke de Dalberg, a native of the Rhineland who
had become a Frenchman by his career, was Ambassador of
France in Turin, in the years preceding the Revolution of 1821.
Metternich considered him one of the most dangerous enemies
of Austrian rule in Italy.

112. Eugene Bardaxi, Spanish statesman and diplomat, had
been sent to Turin as ambassador by the Spanish constitutional

Piémont que le propre gouvernement, non que ces forces ayent été nombreuses, mais parce qu'elles étaient décidées. M. Rouan que vous avez renvoyé à Turin est l'agent le plus dévoué de M. de Dalberg et de ses complices. Il ne *vous* appartient pas, il *leur* appartient, j'en possède les preuves les plus fortes et les plus irresistibles, et il y a longtemps que je les tiens.

M. de Caraman vous mettra au fait de notre marche dans les affaires piémontaises. Le duc de Genevois [113] marche en *ultrà;* ce n'est pas notre marche car nous ne sommes ultrà en rien que ce puisse être.

Nous tuerons, avec l'aide de Dieu, la révolte en Piémont, tout comme nous avons tué celle de Naples. Nous capitulerons tout aussi peu avec elle à Turin que nous ne l'avons fait à Naples. Jamais nous n'admettrons aucune conséquence de la révolte, et toujours protègerons-nous ce que de véritables et de saines lumières dictèrent à la sagesse du Roi *libre*. Tuez de votre côté toutes les idées d'intervention en faveur du crime, de capitulation avec ses fauteurs. M. de La Tour du Pin [114] s'est bien mal conduit et il aura beau se conduire comme il voudra, l'homme est jugé.

En un mot, mon cher Duc, soutenez-vous, ce sera nous soutenir. Vous tenez entre vos mains des moyens de salut qui dans aucun pays ne sont placés dans une évidence plus grande. Vous êtes plus riche de ces moyens de salut que nous; croyez-le moi sur parole. C'est notre

government. In the spring of 1821 he was moved from there to Paris

113. Charles-Felix, Duke de Genevois, brother of King Victor-Emmanuel I, was in Modena when the revolution broke out in Turin. The King abdicated his crown in his favor, and the Duke immediately sought the help of the Allied sovereigns assembled in Laybach. He showed the most reactionary dispositions.

114. The Marquis de La Tour du Pin had replaced Dalberg as ambassador in Turin in 1820. He had been previously minister in the Low-Countries.

décision; la belle âme de l'Empereur Alexandre, la force de son caractère qui auront porté les coups décisifs, nous ne dévierons pas de notre ligne, mais nous devons être soutenu par votre force, car votre faiblesse et de même toute erreur de votre part peuvent perdre le monde.

Vous voyez combien peu je sais chanter victoire après une bataille gagnée. Je ne sais le faire qu'après la fin d'une guerre glorieuse. Or la guerre n'est pas finie; nous ne sommes qu'en bon train; nos adversaires, plus ils se sentiront pressés, plus ils seront refoulés, plus ils . . . concerteront des coups, et le désespoir est une arme souvent bien dangereuse. Je ne doute pas que vous ne préfériez me voir dans ces dispositions que dans celles contraires. Croyez qu'elles sont unanimement partagées ici, car on y est très calme et par conséquent très sage.

Je me suis senti, mon cher Duc, le besoin de vous parler ainsi que je viens de le faire et je ne m'y serais point abandonné si je ne savais à qui je parle.

Conservez-moi votre amitié et votre confiance et soyez sûr que personne ne voue d'avantage (*sic*) les mêmes sentiments que moi.—METTERNICH.

The tone of this letter was not appreciated by Richelieu, as he wrote to Caraman: [115]

JE VOUS AVOUE que d'après cette lettre et d'après ce qui m'est parvenu d'ailleurs, il me semble qu'on a quelque idée de nous régenter et de nous tracer la marche que nous avons à tenir dans la conduite intérieure de nos affaires. Tant que ces leçons viendront sous la forme de conseils de l'amitié, je serai très disposé à les entendre et même je les recevrai avec reconnaissance, sans m'engager à les suivre à la lettre. Mais s'ils prenaient un caractère différent, si c'était une espèce de dictature qu'on voulût exercer sur nous, je serais l'homme le moins propre à

115. April 28, 1821, *Fds. Rich.*

jouer ce rôle et le moins disposé à s'y prêter. Je fais de mon mieux et j'ai l'amour-propre de croire que je sais aussi bien ce qu'il y a à faire en France qu'on peut le savoir à Laybach.

Nevertheless, Richelieu answered at length to Metternich: [116]

JE REÇOIS AVEC BIEN du plaisir, mon cher Prince, votre lettre confidentielle du 10 avril. J'apprécie comme je le dois la confiance que vous voulez bien me marquer, et j'ose croire que j'en suis digne par la pureté de mes intentions, mon ardent désir du bien et la franchise que je mettrai toujours dans tous mes rapports avec vous.

Vous avez bien raison, dans la situation où se trouvaient les affaires d'Italie, les destinées de l'Europe, le sort de l'ordre social tout entier tenaient au succès de vos armes; bien plus, une victoire qui eût été disputée ou retardée exposait à d'immenses périls. Grâces à Dieu, ils sont dissipés, et il ne reste plus, comme vous le dîtes, qu'à profiter de la victoire pour raffermir les bases de la société et empêcher d'aussi misérables ouvriers de venir une autre fois renverser ce qu'on avait toute sorte de raison à croire solide et qui cependant l'était si peu. C'est là, j'imagine maintenant l'objet de vos méditations et ce but n'est peut-être pas le plus facile à atteindre. Personne moins que moi ne croit aux arrières pensées, je vous assure. Il faut laisser au vulgaire ignorant et crédule cette sotte obstination à supposer à des hommes qui ont vu et observé la marche des choses durant ces trente dernières années, les idées rétrécies d'une politique routinière si peu applicable aux temps où nous vivons. C'est l'arme dont se servent les méchants pour effrayer les peuples, et il appartient aux gouvernements de faire tous leurs efforts pour émousser ces traits dans les mains qui

116. April 28, 1821, *Fds. Rich.*

veulent s'en servir. Vous y contribuerez en mettant en
évidence le désintéressement de vos démarches et nous
vous seconderons de tout notre pouvoir en repoussant les
bruits mensongers que la malveillance se plait à répandre.

Nous ne pouvons, ce me semble, vous soutenir qu'en
travaillant dans notre intérieur à nous fortifier et affaiblir
nos ennemis qui sont les vôtres. En cela il me semble que
depuis quinze mois nous n'avons pas absolument perdu
notre temps. Il nous a fallu refouler un torrent dont la
rapidité devenait effrayante, et ce n'a pas été sans quelques
efforts et sans une marche suivie avec persévérance, que
nous sommes parvenus à changer notre loi d'élections et
à amener dans la Chambre une majorité royaliste plus
forte qu'on n'eût osé l'espérer. Ce combat du bon contre
le mauvais principe devait nécessairement amener les
tentatives les plus criminelles, car il n'était pas à présumer
que les méchants se laisseraient arracher le pouvoir, et
toutes les espérances qu'ils avaient conçues, sans tout
essayer pour le recouvrer; de là les troubles du mois de
juin, la conspiration du 19 août et cette fermentation
excitée en plusieurs lieux au moment où l'on a connu
la révolution piémontaise. Nous avons été assez heureux
pour résister à ces secousses qui ont ébranlé et renversé
plusieurs gouvernements voisins, et je crois que par la
fermeté que nous avons fait voir dans ces diverses circonstances, tout en nous rendant service à nous-mêmes,
nous avons bien mérité de la société européenne. Nous
continuerons dans cette ligne de modération et de
fermeté, la seule que nous croyons pouvoir convenir à
la situation actuelle de notre pays et à notre caractère
personnel. Nous tâcherons d'améliorer nos institutions et
nous nous efforcerons de résoudre le problème d'une
assemblée délibérante située au milieu de l'Europe et qui
parle une langue que tout le monde comprend. Je com-
prends comme vous et je ressens peut-être davantage les
dangers de cette tribune, où le bien et le mal, le crime

et la vertu, le mensonge et la vérité se font entendre avec
une égale liberté. C'est un grave inconvénient de cette
forme de gouvernement, peu commode pour les ministres,
mais c'en est une conséquence qu'il faut subir tout en
cherchant à atténuer l'intensité du mal, comme nous
venons de le faire en modifiant le règlement. Je vous
prie en même temps d'observer que quelqu'ait été la
licence de notre tribune, elle a été quasi dépassée par
la virulence des discours de lord Holland dans la Chambre
des pairs d'Angleterre, et de Wilson et consorts dans celle
des Communes; sans vouloir absoudre nos révolutionnaires
de la part qu'ils peuvent avoir dans les troubles d'Italie,
ce que je suis bien loin de faire, je croirais pouvoir assurer
que les voyageurs anglais sont les missionnaires de révolution tout aussi actifs que les nôtres et, comme vous savez,
beaucoup plus nombreux. Quant à MM. d'Onis [117] et
Bardaxi, je n'ai sûrement rien à vous apprendre, non plus
que sur l'emploi de huit ou neuf millions de francs
provenant du dernier emprunt fait par l'Espagne et dont
on ne peut rendre compte. Je ne nie pas que M. de
Dalberg ait pu semer des mauvais principes en Piémont,
mais il y a huit mois qu'il en est absent, et M. Bardaxi
n'en est parti qu'un moment avant l'explosion. Encore
un coup, je ne prétends pas dire qu'il n'y ait force gens
qui soufflent le feu du mieux qu'ils le peuvent, mais s'ils
n'avaient pas trouvé d'aussi puissants auxiliaires que ceux
qui les ont aidés en Italie, je doute qu'à eux tout seuls
ils eussent pu réussir. Si vous savez quelque chose de
positif sur M. Rouen, ayez la bonté de me le faire dire
par Caraman. Je vous avouerai que les notions que j'avais
reçues de lui sur la révolution de Piémont étant absolument contraires à celles que m'avait données M. Bardaxi,

117. Don Luis de Onis, after having signed the famous
treaty by which Spain abandoned Florida to the United States
(1819), was ambassador of Spain in Naples and afterwards in
London. In these two posts he was an advocate for the constitutional government of Madrid.

j'avais tout lieu de croire qu'il ne partageait point ses idées. Au reste, c'est, je crois, un homme de peu de moyens et encore une fois je vous serais très obligé de nous faire savoir ce que vous en savez.

Nous avions jugé comme vous que le langage tenu par le duc de Genevois était un peu violent et bien sûrement intempestif. Sa conduite avec le Prince de Carignan [118] n'était pas non plus très politique; mais quoiqu'il en soit, ce qui importe le plus à présent c'est que quelqu'un aille trôner à Turin le plus tôt possible; car rien de pis que cette incertitude et ce provisoire. S'il faut s'en rapporter à ce qu'a dit le Roi Victor-Emmanuel au baron de Damas que le roi a envoyé le complimenter à Nice, ce Prince n'aurait aucune disposition à remonter sur le trône, ce qui cependant me paraît fort désirable. Mais que l'un des deux se décide et que le roi de Naples se rende aussi à Naples le plus tôt possible, tout cela me paraît de la dernière importance. Nous ignorons encore si l'on a donné suite à la marche des troupes russes ou si elles se seront arrêtées. C'est une des choses qui occupent le plus nos oisifs et un des moyens d'agitation dont les malveillants savent tirer le plus de parti. Au reste, nous sommes pour le moment parfaitement tranquilles, et beaucoup plus occupés des fêtes dont le baptême du duc de Bordeaux [119] est l'occasion que de la politique.

Recevez, mon cher Prince, mes compliments bien sincères sur tous vos succès et agréez l'assurance de mon

118. Charles-Albert, Prince of Carignan, son of King Victor-Emmanuel was more or less involved in the plot of March, 1821. He acted as regent in Turin for his uncle Charles-Felix, and the latter denounced him to the Allies despite the fact that he finally refused to lead the Piemontese army against the Austrians.

119. Henri, Duke of Bordeaux, posthumous son of the Duke of Berry, born 29th of September, 1820, and only male heir of the French crown in the elder branch of the Bourbons.

ancien attachement et de ma haute considération.—
RICHELIEU.

Metternich was quite pleased with this letter,
Caraman reported on May 10, 1821. He read it
aloud immediately and showed it to Emperor Francis.[120]

This was the last correspondence, at least to our
knowledge, exchanged by the two statesmen. Dif-
fidence and distrust had probably made useless in
their judgement any further personal communication.

Metternich's opinion of Richelieu's government
is reflected in the following excerpt of a letter to
Vincent: [121]

EN SE MAINTENANT sur la ligne de faiblesses, de vacil-
lations continuelles et de torpeur politique dans laquelle
il se trouve placé avec une constance dont il ne fait preuve
que sur ce terrain ingrat, le gouvernement sans faire le
bien chez lui, fait un mal prodigieux à l'Europe. Une
France en révolution ou une France entièrement nulle
sont extrêmes et le mal se rencontre toujours en eux.
Dans les affaires les plus dignes de fixer l'attention des
hommes de bien, nous sommes réduits effectivement à ne
point trouver de gouvernement français du tout ou à le
trouver se livrant à des impulsions momentanées, à des
influences subalternes ou bien à des calculs qui devraient
être étrangers à un grand Etat.

At the same time, Richelieu confided to La Ferronays his own suspicions in this commentary on

120. Caraman to Richelieu, May 10, 1821, *Fds. Rich.*
121. October 1, 1821.

the recent meeting between Castlereagh and Metternich in Hanover: [122]

JE NE PENSE PAS QU'ENTRE lui et milord Castlereagh, ils fassent des voeux bien ardents pour la prospérité de la France, ni pour l'accroissement de son influence. Quelquefois, il me vient dans l'idée que pour détourner l'attention de l'Empereur Alexandre de l'Orient vers l'Occident, ils ne seraient pas fâchés qu'il s'élevât chez nous quelques petits troubles qu'on pût représenter comme le prélude d'une explosion révolutionnaire, et, du désir de voir naître ces troubles à l'action de les fomenter, il y a moins loin qu'on le pense. Nous tâcherons de nous en préserver et peut-être d'ailleurs ma méfiance est-elle trop grande; car il y aurait dans cette conduite un machiavélisme dont ces messieurs ne sont pas capables.

❉ ❉ ❉

There was, therefore, no special expression of regret in Vienna when Richelieu was obliged to resign his office in December, 1821.

The noble duke survived his government only a few months. He died of a stroke on May 17, 1822. Metternich's comment was brief and terse:

LE DÉCÈS DE M. DE RICHELIEU . . . cette perte qui en est une véritable pour tous les amis de ce ministre, ne peut, à mon avis, être considérée comme un malheur sous le point de vue politique. En Russie, tant d'idées se sont trouvées liées à l'existence de M. le duc de Richelieu que sa mort fera disparaître un motif de froissements continuels et qui longtemps encore eût été inévitable.[123]

122. October, 1821, *Fds. Rich.*
123. To Vincent, June 13, 1822, *H.H.S.A., Frankreich,* Weisungen, 350.

Both men had tried their best to base their relationship on mutual confidence, but in the end differences of character and the fundamental opposition of their countries' policies had proved too strong and prevailed over their friendly intentions.

# Index